The
right way
to study

何歳からでも結果が出る

本当の
勉強法

世界中の研究から
導き出した
学びの結論46

望月俊孝
Toshitaka Mochizuki

すばる舎

もっとも高貴な娯楽は、
理解する喜びである。

—— レオナルド・ダ・ヴィンチ（伊・芸術家）

The noblest pleasure is the joy of understanding.

・受験勉強に挑んでいる現役の学生の方

・勉強に悩むお子さんを持つ親御さん

・キャリアアップの学びに励むビジネスパーソンの方

・学校や塾の先生方、企業や公益団体で教育にあたる立場の方

・還暦を迎えたあとも自分の可能性を追求したい方

・記憶力をはじめ、自分の能力をもっと評価されたい方

・「久しぶりに何かを学ぼうかな」と思いはじめた方

そんなあなたのための本です

このひと言を捨て去ったときに、本当の学びがはじまる

　もしあなたが勉強の成果を加速させたいのならば、そして学習する目的を達成したいのならば、頭のなかから今後一切消し去ってほしい言葉があります。

○○（ヒント：漢字2文字）

　この漢字2文字に気づくまでに私（望月）は、数千万円近いお金と、20年の歳月を失いました。

　子どものころから勉強は好きでした。
　「真面目でいい子」と言われていました。
　しかし、30歳までの勉強では、いい思い出がありませんでした。

　……というか、最悪でした。

・スポーツ推薦で入った高校では部活に行き詰まり、**学習意欲も失い、一時期は学校をやめる相談もする**
・一念発起した大学入試でも、**目指した大学には浪人しても不**

合格

・大学では弁護士を目指すも、**1年生のわずか数か月で挫折**してしまう

・入社した自動車販売会社で、配属研修の座学ではトップクラスだったが、営業成績は**新人28人のなかで27位**

・大好きな仕事を求めて転職したあこがれの研修会社でも、営業成績がまったく振るわず、**半年で閑職に追いやられる**

・結婚後、資産形成のため不動産投資に手を出し、30冊以上の書籍を読み、研修にも参加し猛勉強するも、バブル崩壊で**約4000万円の借金を負う**

・能力開発を研究しまくり、転職した能力開発会社では主力講師として大手資格学校や上場企業で講師をするも、いざ独立すると**まったく商売にならず約2000万円の借金を負う（合計6000万円の借金に）**

　勉強でしくじるたびに、さらに自分を追い詰めていました。

　「これだけ一生懸命学習しているのに、どうして報われないのだろう」

　知識も意欲もあるのに、何も身についていない自分が、心底イヤになりました。

　でも……そのどん底で、自分のなかにずっとあった言葉に気がつきました。
　それが、冒頭でご紹介した漢字2文字。

「完璧」 です。

「自分は完璧でないといけない」
「完璧でないものは、みんなダメ」
「完璧でないものに、価値はない」
「完璧でないものは、発表や提供をしてはいけない」

　そんな「完璧主義」があったのです。
　そのため、何をしてもすぐに自分のダメさにイヤになり、あきらめてしまう。勉強すればするほど自信喪失。あるいは、その反動で自分を繕うようなモノに飛びついてしまう。
　自分の勉強は、そんな完璧主義の犠牲になっていたのです。

学び方を変えると、
人生は何歳からでも逆転できる

　幸い私は借金6000万円のどん底のなかで、完璧主義を手放すことができました。なにしろカッコつけてはいられません。

・自分のできることは最大限に認め、活かしていく
・自分のできないことを素直に認め、学んでいく
・自分のできることを相手の期待する水準まで、淡々と広げていく

　いわば完璧主義ならぬ 「完成」 主義でした。

　その結果、なんと6000万円の借金を、再独立後の1年間で完

全に返済することができたのです。

　余裕ができた私は、この「完成」主義のもとに、再び勉強に熱心に取り組みはじめました。

　すると勉強の身につき方が変わっていきました。インプットの速度が変わり、学べば学ぶだけ価値に変わっていったのです。

　経済的・時間的自由を得た私は、約1億7000万円の自己投資のもと、世界中のエキスパートからさまざまな学びを得ました。

　それをかたちにしていくなかで、30年間でのべ74万人の方に智慧をお伝えし、40冊累計95万部の書籍を世に送り出すことができました。

　すべては「完成」主義の学習に目覚めたおかげでした。

　そして、65歳になった今、この「完成」主義の勉強法を体系立てて初公開するのが、本書です。

　さて、勉強の多くは、ある時点でその成果を他人から採点されます。その結果によって「入学」「登用」「開業」といった次のステージへのパスポートを手にすることができます。

　本書では、そうした学習の実態にきちんと向き合います。

　「偏差値を上げたい」「点数を上げたい」「とにかく合格したい」……勉強本としてそんな想いに120%応え、ストレートにその方法を伝授します。

　さらに、人間が持つ知性の可能性を見つめ、人生を豊かにし、

楽しく情熱にあふれたものにアップグレードする方法が1冊で身につきます。

数ある「インプット本」の決定版を目指したのが本書です。

30年間の「勉強法」研究の集大成となった本

本書の具体的な内容をご紹介すると、

第1章では、**勉強をはじめるときの「迷い」を断ち切る方法**を扱います。「内面の葛藤との向き合い方」「どう学ぶべきかという答えの出し方」などを取り上げました。

第2章では、**学習目標を定め、計画をつくる方法**を扱います。「学習の定義」「学習目安の上手な決め方」「合格体験記の限界」などを取り上げました。

第3章では、**記憶力アップを中心に具体的な勉強スキル**を扱います。「記憶力を上げる科学的に正しい方法」「ノート・メモの取り方」、そして「超高齢化している社会で役立つ記憶メソッド」などを取り上げました。

第4章では、**あなた自身で、あなたの勉強を適切に評価する方法**を扱います。「勉強の成果のために分析力を上げる方法」「正しい復習の仕方」、そして「スクール選びのコツ」などを取り上げました。

　第5章では、**あなたの勉強をさらに改善する方法**を扱います。「学習環境のつくり方」「勉強疲れの回復法」、そして「学ぶ意味を思い出す方法」などを取り上げました。

　単なる私の体験論のみならず、30年間でおよそ1億7000万円を費やして世界中のエキスパートから学んだ学習心理学、行動経済学の知見を随所に織り込みました。**いずれのパートにも必ず近年発表の科学論文などのエビデンスが入っております。**どうぞ安心して活用してください。

　本書は、次のような方にお役に立てます。

・受験勉強に挑んでいる現役の学生の方
・勉強に悩むお子さんを持つ親御さん
・キャリアアップの学びに励むビジネスパーソンの方
・学校や塾の先生方、企業や公益団体で教育にあたる立場の方
・還暦を迎えたあとも自分の可能性を追求したい方
・記憶力をはじめ、自分の能力をもっと評価されたい方
・「久しぶりに何かを学ぼうかな」と思いはじめた方

　老若男女を問わず「今の環境から抜け出したい」「このままでは終わりたくない」と思っているすべての方のお力になれると確信しています。

本書は頭からすべて読む必要は一切ありません。まずは目次をパッと見てください。

　各章、お伝えするテーマについて多くの方が誤解している勉強スタイルを【×】で、本書で提案したい本当の勉強スタイルを【○】で列挙しました。

　いずれも私が人生をかけて磨いた言葉です。

　あなたが真っ先に心に響いた言葉のテーマから、本文をお読みください。

　たとえば……

　×学習とは、1つでも多く「正解」すること
　○学習とは、1つでも多く「間違い」に気づくこと

　×勉強時間で大切なのは、「長さ」を守ること
　○勉強時間で大切なのは、「開始時刻」を守ること

　×最初から、大切なところには蛍光ペンを使う
　○全体を2回読み直すまでは、蛍光ペンは我慢する

　×究極の読書法は、1分間で本を読み切ること
　○究極の読書法は、「9割捨てる」こと

×苦手分野は集団クラス、得意分野は個別学習で学ぶ
○苦手分野は個別学習、得意分野は集団クラスで学ぶ

×「わからない」と言うのは、不勉強の証拠
○「わからない」と言えるのは、勉強を重ねている証拠

×イメトレでは、「合格した喜びのなかの自分」を想像する
○イメトレでは、「困難を乗り越えている自分」を想像する

　もし「え、本当かなあ？」とひとつでも思う項目があったら、まずはそこからページを開いてみてください。

〈本書の特徴〉

①全項目○×形式

「やっていいコト」と「やってはいけないコト」がひと目でわかる！

②科学的エビデンスつき

ハーバード、オックスフォード…etc.
世界中のエキスパートが教えてくれた！

2022年10月、岸田文雄首相は所信表明演説のなかで今後、**個人のリスキリング（学び直し）の支援に、5年で1兆円を投じる**という旨を発表しました。

勉強するスキルはこれからますます、すべての人に求められるものになるはずです。本書はその一助となります。

今からでもまだ間に合います。
事実、私は現在65歳、本書でご紹介する勉強法を駆使して、まだまだ年々自分が進化している実感があります。
まさに本書のタイトルにあるように、

何歳からでも結果が出る勉強法

なのです。

ぜひ楽しみながら、あなたの学習能力をアップデートしていきましょう。

では、まずは渾身のもくじをご覧ください。

第**1**章
Start

勉強をはじめるときの「迷い」を断ち切る

第2章
Plan

学習目標を定め、計画をつくる

第**3**章
Do

何歳からでも結果が出る
一生モノのインプット術

第**4**章
Check

自分自身で勉強を
適切に評価する

第5章
Improve

勉強法をさらに改善する

勉強をはじめるときの「迷い」を断ち切る

> ✗ **人は死ぬ間際に「もっと遊べば よかった」と後悔する**
>
> ○ **人は死ぬ間際に「もっと勉強すれば よかった」と後悔する**

「あなたがこの世を去るときに、一番後悔することは何でしょうか?」

私たちにとって、もっとも大切な問いの1つです。

誰もがいつかはこの世を去ります。まったく思い残すことなく死を迎えられる人はいないでしょう。「もっとやっておけばよかった」という後悔は誰しもあるはずです。

この点、終末医療の現場からはさまざまなレポートが寄せられています。よくあるのは「もっと遊んで、楽しめばよかった」という後悔です。

たしかに一度きりの人生、楽しまなければ損な気はします。

では、遊びまわる人生が、本当の意味で悔いのない人生なのでしょうか?

ここで、ちょっと驚く研究を紹介します。

「もし、あなたが人生をもう一度やり直せたとしたら、今と違うことをすると思う分野は何ですか?」

1989年、アリゾナ大学のリチャード・キニアは、316名の参

加者にこう投げかけました。調査対象者は幅広く、

　A）20〜29歳　B）30〜55歳　C）64歳以上

　つまり全大人が対象です。当然、人生経験には差があります。しかし結果は面白いものでした。
　8位から2位までは次の通りです。

　8位　もっとワーク・ライフ・バランスを取ること　9%
　7位　もっとお金を大事にすること　13%
　6位　もっと家族のために時間を取ること　15%
　5位　もっと心に寄りそった生活をおくること　15%
　4位　もっと冒険をすること　17%
　3位　もっと自分を管理する方法を知ること　17%
　2位　もっと積極的に生きること　24%

「まだ上があるの？」と思われたかもしれません。ここまででよくある「人生の後悔」は出尽くしている感じがしますよね。
　栄えある1位はこちらです。

「もっと一生懸命教育を受ける」（39%）。

　すなわち、どの世代においても「もっと勉強をしておけばよかった」と後悔することがわかったのです。
　なお、1953年と1965年におこなわれた世界有数の調査会社（ギャロップ社）による調査でも、後悔することの第1位は、同

じく「学ばなかったこと」でした。

なぜ、こんな現象が起きるのでしょうか？
それは「勉強」は、人生のあらゆる問題のマスター・キーだからです。

仕事の勉強をもっとしていれば、「お金」や「ワーク・ライフ・バランス」の問題で悔やむことは減ります。
ライフスタイルの勉強をもっとしていれば、「自己管理」や「キャリア」の問題で悔やむことは減ります。
人間の勉強をもっとしていれば、「パートナーシップ」や「職場の人間関係」の問題で悔やむことは減ります。

人生は悩みの連続です。
迷ったときは「学ぶ」ことを選びましょう。
それが、笑顔でこの世を去る秘訣なのです。

02

✕ 勉強は、「完璧」を目指すもの

○ 勉強は、自分なりの 「完成」を目指すもの

「必ずうまくいく勉強法はありますか？」

これはよく聞かれる質問です。

そこで私がお伝えするのは、逆の「必ずうまく〝いかなくなる〟勉強法」です。何だと思いますか？

答えは、

「完璧を求めること」です。

「はじめに」でも触れましたが、完璧主義には果てがありません。

しかし時間は有限です。

完璧を求めはじめると、結局、何もできなくなります。

そして、常に自己肯定感を失うハメになります。

そこであなたに贈りたい言葉が「**完成主義**」です。

「完璧主義」から「完成主義」にシフトすることです。

自分が成しとげたい全体像を明確にして、それを完成させる

ために必要なピースだけを徹底的に学ぶことです。

　大学受験や資格試験の「今年の傾向と対策」を思い出すかもしれません。でも、これはより視野の広い、夢実現のための勉強法としても大切なことなのです。

　1つのドラマチックな実話を紹介しましょう。

　「スターデューバレー（Stardew Valley）」というゲームがあります。オンライン上で農場を自分でつくっていくもので、日本でいえば「あつまれ どうぶつの森」（任天堂）のようなゲームです。

　じつは、**このゲームはある男性が独学の末、たった1人でつくり上げたのです。**
　男性の名前は、エリック・バロン。
　日本のゲーム「牧場物語」に影響を受けた彼は、大学でプログラミングを学ぶと、ゲーム制作を志します。
　とはいえ、現在では普通、1本のゲームを制作するには、大規模なものなら億単位の資金と数百人のスタッフが必要です。
　これにエリックは1人でのぞみました。それだけ自分の構想に自信があったのです。
　しかし、無謀な挑戦です。
　プログラミング以外にもさまざまな作業が必要です。作曲、ピクセルアート、サウンド・デザイン、シナリオライティング。通常は各分野の専門家がそれぞれ担当するところを、1人でかたちにしなければなりません。

そこで、エリックはまず「どんな目標を達成したいか？」をイメージし、そして「どうやってそこにたどり着くか？」を考えました。

つまり、**独学であっても、すべてのテキストを最初から学ぶのではなく、自分がゲーム上で表現したいものを決め、それらを完成させるために必要な箇所に絞って一気に学んだのです。**

それは、「学びの実践」と「モデルの観察」と「つくり直し」の連続でした。

彼は就職することなく、5年間この制作に集中しました。

やがてこの苦労が報われました。

2016年に発売されたこのゲームは、瞬く間に世界中で300万本を超える大ヒットを記録します。

評論家もゲームの美しさを褒め称え、**やがてエリック自身は億万長者として「フォーブスが選ぶ30歳未満の30人」にノミネートされました。**

いかがですか？　エリックの頭には常に自作ゲームという「完成品」がありました。

そのため**完璧主義の沼にハマることなく、無駄のない独学をはたし、富と名声を手に入れた**のです。理想的な実学のかたちですよね。

ぜひ、この姿勢を私たちも取り入れてみましょう。

たとえばあなたが学生であれば、あえて学校の定期テストの

結果にはこだわらず、志望校の過去問に沿った学習に集中するのも手でしょう。

　あるいは社会人の場合は、学問の体系にはこだわらず、自分の仕事のアウトプットに関する部分だけを学ぶのも手でしょう。

　「完璧主義」の誘惑に負けそうになったら、ぜひ本節のエリックの偉業を思い出してください。

完成主義でいくと、
結果的に完璧に近づいていく

　仕事でも、1つのタスクを完璧にしようと時間をかけてしまい、いつまでたっても終わらないことがありますよね。

　そんなときも「完成主義」を思い出してください。

　「完璧」主義のAさんと、「**完成**」**主義**のBさんが、同じ仕事をしたとしましょう。

　Aさんは完璧にならないと途中で仕事を投げ出したり、チャレンジすることをあきらめてしまいます。そして違う仕事につき、新規プロジェクトにも取り組みます。そこでも完璧主義が災いして結果が出ず、転々と職を変えていきます。

　Bさんは50％の完成度であっても、「この時点ではこれが自分の最高」ということで、暫定的に完成させる姿勢を貫きます。

　1回目は50％の結果ですが、2回目はうまくいかなかった部分に集中し、そのうまくいかなかった50％の部分の半分（25％）を改善します。

　すると、2回目は50％（最初からうまくいっている部分）＋50％（うまくいかなかった部分）×50％（改善した部分）ということで、**50％＋（50％×50％）＝75％**となる。

　3回目は、うまくいっていない残りの25％の部分に集中し、その半分の12.5％が改善され87.5％の結果となる──。

　これを繰り返していくと、

1回目：50％
2回目：75％
3回目：87.5％
4回目：93.75％
5回目：96.875％

と、50％の連続であっても、完璧に近づいていきます。

　完成主義でいくと、結果的に完璧に近づいていく。
　完璧主義だと、できていない自分が許せないので一度も発表することなく、人にも貢献することなく終わってしまうことにもなりかねません。

**　完璧を目指すのではなく、完成を目指そう。**
**　それが、結果的に完璧に近づく最高の方法です。**

03

✕ 最初から「崇高な目的」のために勉強をする

◯ 勉強は「欲望」ではじめて、「やりがい」で続ける

「欲望」……。

一見、学びとは無関係に思える言葉です。

勉強ができる人はそんなものは捨てて「使命」や「やりがい」に向けて励んでいるイメージがあります。

とはいえ正直、普通の人は最初からそんなものは持っていません。あるのは今の環境に対する不平不満や、未来への漠然とした空想だけでしょう。

でも、ご安心ください。
スタート時点は、それでよいのです。

2011年、テルアビブ大学のチャイム・フェルシュトマンらは、とても有意義な研究を発表しました。

高校の体育の授業で、生徒に60メートル走を2本やってもらいます。
1本目は通常通り単独で、2本目は景品つきの競走です。
景品は高額な品と安い品の2種類です。

参加者は次の【A】〜【D】の4グループに分かれました。

【A】 **高額**な景品を約束され、**複数**で競走し「順位」を競う
【B】 **高額**な景品を約束され、**1人で**走り「タイム」を競う
【C】 **安い**景品を約束され、**複数**で競走し「順位」を競う
【D】 **安い**景品を約束され、**1人で**走り「タイム」を競う

この実験を通して研究チームが知りたかったのは「報酬・勝負の形式と、あきらめやすさの関連性」でした。

「あきらめる」にも2種類あります。

1）不参加：2本目の競走にはそもそも参加しない
2）途中棄権：2本目の競走中に走るのをやめる

結果はじつに面白いものでした。

まずは、2本目の競走にそもそも参加しない「不参加」の割合です。C、Dの安い景品のグループは7％が不参加でした。
しかし、**A、Bの高額景品のグループはとりあえず「全員が参加」したのです。**

では、2本目の競走中に走るのをやめる「途中棄権」のほうはどうでしょうか？
まず、**Aグループ（高額景品、複数競走）は、走り出して自分が負けているのがわかると、その4割が途中棄権をしました。**

しかし、高額景品でも1人でタイムを競うBグループには途中棄権者はいませんでした。

なぜこうした現象が起きるのでしょうか？　研究チームは、次のように考察しています。

「こうした現象は、金銭的な利益ではなく、**内発的な動機づけ**を説明する必要があります」

内発的動機づけは、報酬のような外発的なものではなく、参加者個人の心のなかで生まれる動機です。
たとえば、こういったものです。

1）勝負に勝ちたい・走るのが好き
2）実験者や先生の期待に応えたい
3）途中でやめるのはかっこわるい

3）のような、社会的な目を意識した罪悪感も、じつは立派な内発的動機づけです。
だからこそ、普通は一度やったことのある課題を途中放棄することは考えにくいのです。

しかし、ここで面白いことが起きます。
高額の景品がかかっていて、しかも打ち負かすべき競走相手が目の前に見えていると、人は余計な努力をしてしまいます。
この努力はかなりの疲労と負担を生みます。

そのため、負けそうになると「もういいや」「割に合わない」となり、恥も外聞も捨てて、途中放棄するのです。

「自分の本音」にフォーカスする

この研究は、自分も含めた「人」を動かす場面で、とても役立ちます。

ものごとにはすべて「開始」と「継続」があります。

種をまかなければ芽は出ません。しかし芽が出ても世話をしなければ、果実にはなりません。バランスが必要です。

では、まいた種を果実にするためには、どうすればいいか？

まず何かを開始するときは「欲望」に忠実になり、自分に対する「報酬」を強く意識しましょう。

報酬は「金銭」以外でも構いません。

時間の余裕や人間関係の心地よさも該当します。むしろそのほうがいいでしょう。

「今の環境から早く離れたい」

「もっとモテたい」

「勉強してあいつらを見返したい！」

そんな〝本音〟の感情を大切にしましょう。

そうした「報酬」が本研究のように見込めて、しかも手が届きそうな実感があると、人は必ず重い腰を上げます。

　しかし、**いざ何かに取り組みはじめたら、他人との勝負や報酬の有無は忘れて、自分が取り組んでいることがどれくらい自分の成長につながるか、どれくらいの人が期待してくれているかという「やりがい」を意識しましょう。**

　「欲望」ではじめて、「やりがい」で続ける。
　この切り替えが、勉強を続けるマインドをつくります。

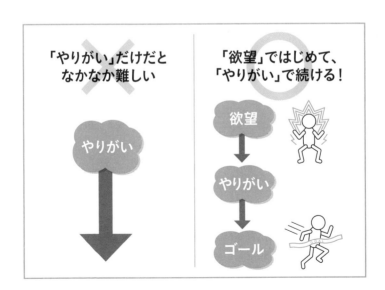

第1章まとめ

◎ 人は死ぬときに
「もっと学んでおけばよかった」と後悔する

◎ 迷ったときは「学ぶ」ことを選ぶ

◎「完璧主義」から「完成主義」にシフトする

◎ 勉強を開始する前は、自分に対する
「報酬」を意識する

◎ 勉強をはじめたあとは、
「報酬」よりも「やりがい」を強調する

第2章

―――――――

Plan

―――――――

学習目標を定め、計画をつくる

04

✕ 学習とは、1つでも多く
「正解」すること

○ 学習とは、1つでも多く
「間違い」に気づくこと

「学習とは何か？」
「人はなぜ勉強をするのか？」

紀元前からある問いかけです。
あなたはどう思いますか？
学校に通い、教科書を読むことは代表的な「学習」です。でも、それだけではないはずです。
1972年、この問いかけへの決定的な答えが提唱されました。

「生物は、事象が予測に反しているときのみ学習する」

アメリカ人研究者のロバート・レスコーラとアラン・ワグナーによるものです。

なぜ、人間は学習する能力があるのか？
その答えは、「**予測できないことを少しでも減らすため**」。

この能力があったからこそ私たち人類は、複雑で変化の激しい環境のなかで、ほかの生き物よりも圧倒的に生き延びる確率

を上げることができたのです。

　私たちが今生きているのは、今日までの学習のおかげといっても過言ではないのです。

　そして、大切なのはここからです。

　この本質から、もっとも効果的な「3ステップの勉強法」を導き出すことができます。

【Step1】仮説を立てる、正解を予測する

【Step2】実際の結果と照らし合わせ、間違い・ズレを特定する

【Step3】その間違い・ズレを修正する

　すなわち**勉強法の極意とは、「素早く、たくさんの間違いに気づくこと」**なのです。

　誰でも×だらけの答案はイヤなものです。

　でも、私たちは×と認識して初めて学習ができるのです。

　その修正を繰り返し、自分の正解の予測と実際の正解のズレがなくなったときが、試験の合格の瞬間です。

　なお、これは試験勉強だけではなく、**仕事術の極意でもあります。**

　トップセールスパーソンや名経営者は、必ず**仮説**を立てています。彼らにとっての仕事とは自分の仮説の検証なのです。

　だから新規開拓の挑戦も、お客様からのお叱りにも、決して

臆することはありません。

　むしろ歓迎しています。

　それにより素早く自分の仮説の×の部分がわかり、修正できるからです。

　ぜひ、**学びはじめの段階から、積極的に問題演習や本番の模擬体験に挑戦しましょう。**

　当然、最初は自分の回答（仮説）は大外れで×の連続でしょう。

　でもその×の数は、今後のあなたの伸びしろを示しています。

　×を喜べるようになったとき、あなたは合格への道、成功への道を歩んでいることを実感するでしょう。

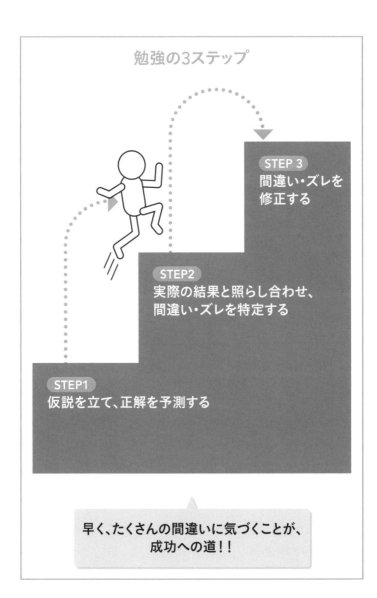

勉強の3ステップ

STEP 3
間違い・ズレを
修正する

STEP2
実際の結果と照らし合わせ、
間違い・ズレを特定する

STEP1
仮説を立て、正解を予測する

早く、たくさんの間違いに気づくことが、
成功への道!!

✕ 試験勉強とは、内容を「読み直す」作業である

◯ 試験勉強とは、内容を「思い出す」練習である

「試験で頭が真っ白になってしまった！」

こんな経験、あなたにもあるかもしれません。試験に限らず、仕事のプレゼンや発表本番でもなりうることです。

これは仕方がないことです。

人は強いストレスを受けると、血中のコルチゾールの濃度が高くなります。すると脳の記憶を司る海馬がそれに影響され、正解を思い出しにくくなるのです。

「緊張するな」というのは無理なアドバイスです。

さらに、勉強と無関係なメンタルトレーニングなどにハマるのもおすすめできません。

ここで**私たちがやるべきことはたった1つ、「検索練習」です。**

やり方はとてもシンプル。

「覚えたことを何も見ずに思い出す」だけです。

2016年、タフツ大学の研究チームは興味深い実験を発表しました。

120名の参加者に、30個の単語と画像を記憶してもらい、その24時間後に確認テストをします。

テスト前に参加者は2グループに分かれ、それぞれ次のよう

な準備をします。

【Aグループ】頭からただ復習する（**再学習条件**）
【Bグループ】できるだけ思い出す模擬練習をする（**検索練習条件**）

　参加者にはテスト直前に即興スピーチしてもらったり、数学の問題を解いたりして、ストレスを感じてもらいます。
　これにより参加者の血中のコルチゾールの濃度を上げ、記憶が飛びやすく、頭が真っ白になりやすい状態に仕向けるのです。

　さて、実際の確認テストの結果は面白いものでした。
　Bグループ（模擬練習をした）の成績は、Aグループ（ただ復習をした）よりも約37％も高いスコアだったのです。

「思い出そうとすること」こそが、試験勉強のコツ

　なぜ、こんな現象が起きたのでしょうか？
　じつは**私たちの脳は検索練習（覚えたことを何も見ず必死に思い出す）ときに、確実な変化を見せます。**

　2013年、デューク大学のエリック・ウィングらの研究によると、「検索練習」をしている参加者の脳では、記憶を司る脳内の海馬と、ほかの脳領域とのつながりが増えていることが確認されました。
　すなわち、思い出したい情報へたどり着くための脳内の経路

が、よりしっかりしたものになっていたのです。

そして、この経路がきちんと準備されていれば、試験当日の精神状態のなかでも記憶が再現されるのです。

つまり、あの手この手で何とか思い出そうとする「検索練習」こそが、本当の意味での試験勉強なのです。

いかがでしたか？　大学受験や資格試験においては、**本番前の模擬試験がとても大切**なことがおわかりでしょう。

本番に近い難易度・制限時間のなかで検索練習をすることで、あなたの脳の回路がアップデートされていくのです。

たしかに模擬試験の点数が悪ければ落ち込むでしょう。

でも苦しい体験をした分、かならず本番には楽にのぞめるようになるのです。

また、**仕事の発表やプレゼンなどでは、本番に近い条件で、上司や同僚の前で練習をおこない、厳しめのフィードバックをもらうのがいいでしょう。**

全米トップの人気コメディアン・俳優であるクリス・ロックは、現在でも大規模ツアーの前には小さいクラブで新作のネタを試してみるそうです。その回数は40〜50回にも及ぶとか。

それだけ模擬練習をすれば、ツアーの大舞台では詰まることもスベることもなくなります。

あなたも試験に挑むプロフェッショナルとして、ぜひ検索練習を重ねてくださいね。

✕ 試験を突破する人は、「一夜漬け」の達人である

◯ 試験を突破する人は、「一夜漬け」の真逆である

試験前日に徹夜する、いわゆる「一夜漬け」。多くの人が学生のころに経験があるでしょう。社会人になっても度々あるかもしれません。

でも残念ながら、**一夜漬けはもっとも脳に「優しくない」勉強法なのです。**

ここでは、最新の脳神経学の知見をふまえてご紹介します。**かなり難しくこまかな説明をするので、お急ぎの方は、P53で図解化した結論だけをご覧ください。**

私たちの脳は数百億もの**ニューロン（神経細胞）**からなる巨大なシステムです。

ニューロンの内側の電位は、ある一定の大きさ（閾値）を超えると一気に上昇し、別のニューロンに信号を送ります。この現象を「発火」と言います。

出力された信号は、電気信号のかたちで核となる細胞体から軸索という回路を通って運ばれていきます。

そして、ほかの神経細胞との結合部であるシナプスに到達す

ると、神経伝達物質という化学物質に姿を変えて、ほかの細胞に向けて放出されます。

　信号を受け止めたほかの細胞もやがて発火して、同様にほかの細胞に情報を伝えていきます。
　この様子は、あたかも脳細胞同士が1つの話題を伝えあい、おしゃべりをしている感じです。

　私たちが特定の話題について集中的に取り扱う（つまり勉強する）と、細胞間の情報伝達はスムーズにできるようになります。
　やがてニューロン同士が、その話題については強固に結びつき、すみやかに伝達ができる記憶回路が形成されていきます。

　これが1つの事柄について「できた」「わかった」「マスターした」という状態です。

　もう1つ重要な細胞が**グリア細胞**です。グリア細胞は神経細胞に栄養を供給したり、正常に働かなくなった神経細胞を除去するサポーターです。
　グリア細胞の一部は鞘（さや）のようなかたちになり、神経細胞の電気信号の通路である軸索を包み込んでいます。この鞘状のものをミエリンといい、信号が隣にもれたりはみ出したりするのを防ぐ絶縁体の役割があります。
　勉強によりこのグリア細胞も厚くなり、ミエリンの数も増え、より無駄なく電気信号を流すことができます。

脳にもっとも優しい
勉強法の結論

こうした脳細胞の役割をふまえると、**もっとも脳に優しい学習法が見えてきます。**

神経科学者ハドレー・バーグストロムは、
「**1日に少しずつ進めて、できるだけ学習量を分散する**」
という勉強法をすすめています。
これにより次の2つのことができます。

(1) ニューロン間の結合が着実に強化される
(2) グリア細胞がより確実に絶縁の時間を確保でき、電子信号のもれを防ぐことができる

そして、もう1つ大切なことが「**十分な睡眠を取る**」ことです。
2013年、米国国立衛生研究所のチームは、マウスの実験を通して、**睡眠中の脳細胞間の電気信号の伝達は、起きているときと逆向きであることを発見しました。**この現象により、脳は次の2つの点検作業をしています。

(1) あきらかに重要でない情報を脳から消去する
(2) 忘れてしまった情報の再学習を促す

すると起床後に同じ情報を見たときは、以前よりも速く正確

な記憶回路を再形成できるようになります。

　つまり私たちは、睡眠をしっかり取ることで記憶を点検して、次の学習の準備をととのえることができるのです。

　結論として「脳にもっとも優しい勉強法」とは……

（1）1日に少しずつ進めて、できるだけ学習量を分散する
（2）十分な睡眠を取る

　つまり「**一夜漬け**」とは真逆のことをすれば、**正しい勉強法につながるのです。**

　「一夜漬けはやめなさい！」とは先生や親御さんのお説教ではありません。

　あなたの脳からのメッセージなのです。

　ぜひしっかり受け止めて、できるだけ長期スパンの学習をおこないましょう。

脳にもっとも優しい勉強法はコレ！

①短期間集中ではなく、「毎日少しずつ」

学習量

ズシ…

分散!!

②徹夜はせず、十分な睡眠を取る

ZZZ…

07

**✕ 勉強時間で大切なのは、
「長さ」を守ること**

**◯ 勉強時間で大切なのは、
「開始時刻」を守ること**

「1日何時間くらい勉強すれば合格できますか?」
入試や難関資格受験で、よく聞かれる質問です。
とくに初学者の方は気になりますよね。

　基本的に試験の難易度が高ければ、長時間の学習は避けられません。
　いくら参考書や講座の内容が進化しても、効率化できる時間には限界があります。
　そもそも人は本気で勉強に没頭する「本気モード」になると、いちいち時間は測っていないでしょう。ひょっとしたら夢のなかでも勉強しているのかもしれません。
　つまり、早くこの「本気モード」に移行することを考えたほうがよいのです。

　その第1歩が毎日の「勉強を開始する時刻」をきちんと守ることです。

　2015年、ビクトリア大学の研究では、強い習慣が定着しやすい人は「時間的一貫性」があることがわかりました。

「**毎朝6時**には定期的に運動する」「**夕食後**は運動する」などといった特定の時間を決めていた人は、見事に運動の習慣が身についていました。

　私自身も30年以上前から、早朝と深夜にアラームを設定して自分の勉強開始時間を守っています。

　今まで学習から離れていた方は、1時間、机に向かうことすら大変でしょう。

　そんな方はまず1日（1440分）の1％である15分間、いつも同じ時刻から学習をしてみませんか？

　それが習慣として定着すれば、次第に机に向かう時間が増えていきます。

　その先には、起きている時間すべてを勉強している「本気モード」のあなたが待っています。

08

✕ 学習量の目安は、
長いスパンでざっくりつくっておく

○ 学習量の目安は、
毎日しっかりとつくっておく

「毎日の勉強量は波があるから、とりあえず大きな期間でざっくり学習目安を立てましょう」

勉強の指導ではよく言われることです。

たしかに、勉強が本分の学生であっても、毎日決まった勉強時間はなかなか取れません。ましてや社会人は来週のことすら見通しが立たないものです。

日々のこまかいスケジュールなどは、立ててもどのみち意味がない気もします。

でも、それは本当でしょうか？

1981年、カナダの心理学者アルバート・バンデューラらは、こんなシンプルな研究を発表しました。

算数がとても苦手な7〜10歳の子どもを40人ほど集めます。

そして、42ページの問題集を、7回に分けてやってもらいました。

その際、子どもたちは3つのグループに分けられて、それぞれ次のように指示されました。

【グループA】**1回ごとに最低6ページ**を必ずやってください
【グループB】**実験が終わる7回目までに**42ページすべてを終わらせてください
【グループC】とくに目標は決めませんが、**できるだけたくさん**解いてください

　7回目終了後、問題集を全部やりとげた割合は次の通りでした。

・**グループA　74%**
・グループB　55%
・グループC　53%

　結果として**もっとも達成率が高かったのは、「毎日やるべき最低量」をきちんと割り振ったAグループでした。**
　他方、BグループとCグループにはほとんど差はありません。

　つまり「ざっくりとした学習量の目安」は何も計画をしていないに等しい結果しか生まないのです。

　単純な割り算で構いません。使用する教材を勉強できる日数で割って、毎日の学習目安の分量を出してみてください。
　それは確実にあなたをゴールに導いてくれます。
　もちろん、これは仕事でも同じように効果的ですよ。

09

**✕ 「熱意」が、あなたの能力を覚醒
させてくれる**

**○ 「期限」が、あなたの能力を覚醒
させてくれる**

「あなたのまだ見ぬパワーを覚醒させる方法」

いかにも怪しいフレーズですよね。でも、嫌いではない人もいるはずです。

私も14歳のころから、人間の潜在能力に興味を持ち、今でも仕事にしています。潜在能力覚醒法のなかで、誰もが確実に眠れるパワーを発揮できる方法を公開しましょう。

それが**「期限」を定める**ことです。

「期限」については、2020年に興味深い発見がありました。

サザンクロス大学のクリスチャン・スワンらは、**期限を設けることで「ゾーン」に入りやすくなる**という調査結果を発表したのです。

「ゾーン」とは、完全な集中・忘我の状態で、自己ベスト以上のパフォーマンスが期待できるものです。

アスリートであれ、アーティストであれ、ビジネスマンであれ、そして受験生であれ、誰もがあこがれる境地ですよね。

従来までは「ゾーン」に入るには自然に身を任せ切る「フロー（流れ）」状態になることが目指されていました。

　しかし、これはかなりの習熟が求められます。

　研究によれば、重要な成果が目前に迫っている**締め切り前の必死の努力や集中も、「ゾーン」に入るための手段**であることがわかったのです。

　そして、それをより起こしやすくなる工夫として、次の方法を提唱しています。

「具体的な目標を念頭に置いて、その課題を達成するために何をすべきかを明確にすること」

　当たり前のことでしょう。でもこの当たり前を徹底している人はどれくらいいるでしょうか？

　とはいえ、自分で自分に締め切りをつけることは簡単ではないかもしれません。

　その場合は、指導してくれる先生や仲間に頼んで、一緒に期限の設定をおこないましょう。

　あるいは、すでに学習の期限がこまかく決まっている場合は、それを前倒しで終わらせる宣言をしてみましょう。

　ちょっと大変かもしれません。でも**期限を決めて退路を断たれた瞬間にこそ、あなたのまだ見ぬパワーが覚醒するのです。**

✕ 勉強は、集中できるまとまった時間でやらないと効果は薄い

○ 勉強は、スキマ時間で積み重ねたほうが効果的

「なかなか勉強する時間が取れない」

すべての学ぶ人が持つ悩みです。

仕事や家庭のある社会人はもとより、部活や学校行事にいそしむ学生さんも抱えている問題でしょう。

勉強しようにも、平日はなにかと中断される。休日は平日の疲れで集中できない。大変ですよね。**退職して勉強に専念したいが、将来が不安で踏み出せない**という社会人の方も結構います。

でも、ご安心ください。

じつは**勉強は「まとまった時間」がないときほど進む可能性があるの**です。

カーネギーメロン大学の情報工学科教授アレッサンドロ・アクリスティと心理学者エイヤル・ピアは、ニューヨーク・タイムズの依頼でこんな検証をおこないました。

136名の参加者を次の3グループに分けて、認知能力テストを受けてもらいます。

【Aグループ】集中してテストを受ける

【B&Cグループ】途中でテストを**中断することを予告**する

　そしてBグループとCグループについては、実際に2回テストを中断し、集中を妨げました。

　この2グループのテストの結果は、Aグループよりも20％も低いものでした。このように、人は何かを中断されるだけで、できることもできなくなるのです。

　さて、この検証には続きがあります。

　次のテストでも前回同様にBグループとCグループに途中で中断することを予告しました。

　しかし、実際に中断したのはBグループだけでした。

　Cグループには中断を予告はしていたものの、中断せず結局最後まで集中して解いてもらいました。

　そんな**Cグループの正解率は、なんと前回のテストよりも約43％もアップ**していたのです。

　これは、最初から集中できていたAグループの正解率を抜くものでした。

　なぜ、こんなことが起きたのでしょうか？

　研究チームは、「人は中断される可能性を予測することで、一種の締め切り効果が起き、集中力が増した」と考えています。

　本検証の結果を踏まえると、**短いスキマ時間を活用することは1つの優れた勉強法**だと言えます。

一般的には取得に4年かかる学士号を、大半の学生が2年半で取得する非営利のオンライン大学Western Governors Universityのコースメンターであるネイル・スティア氏は、「**短時間で頻繁な学習セッションは、長時間で頻度の少ないセッションよりずっと効果が高い**」と述べています。

　いかがですか？
　本研究からすれば、たとえば**通勤・通学電車のなかは最高の学習空間**と言えますね。
　自分の駅についたら降りなければいけませんので、中断の予告は完璧です。さらに、そこまでの通過駅が学習目安にもなるのです。
　たとえば、1駅の間で1つ問題を解く、1ページ記憶する、講座映像をスマホで1チャプター見る、などができます。

　さて、あなたの日常でこんなスキマ時間はあとどれくらい見つけられるでしょうか？　さらに、その時間に活用できるようなこま切れの資料や教材は準備できていますか？

　いつ来るかわからない「まとまった時間」を待つよりも、スキマ時間を重ねた者の勝ちなのです。

スキマ時間を活用しよう！

それ以外	勉強時間	それ以外

まとまった時間を取るよりも…

↓

勉強時間	勉強時間	勉強時間	勉強時間	勉強時間	勉強時間	勉強時間

スキマ時間を積み重ねる！

つまり…
通勤・通学電車は勉強に最適！

11

> ✕ **正しい勉強をすれば、**
> **最初から楽しくて仕方がない**
>
> ○ **どんな正しい勉強法も、**
> **最初はつらく感じる**

「さっぱりわからない」

「同じところを何度も間違える」

「なかなか結果が安定しない」

　勉強をはじめたときに誰もが通る体験です。とてもストレスがかかります。つい投げ出してサボったり、別の勉強法を試してみたくなります。

　安心してください。そのような**痛みを感じていることこそが、正しい学びをしている証拠**なのです。

　2013年、コーネル大学の神経科学者ネイサン・スプレングらは、学習による脳の変化を調べました。

　38件の研究で撮影された学習前後の脳画像データを分析したところ、重要なパターンが見つかりました。

　誰もが学びはじめは何回もつまずき、やり直します。1つひとつ意味をなぞる地道な努力が必要です。

　この段階で活性化していたのが「**背側部前帯状皮質**」という脳領域です。この部位は、**何かを間違えないように注意を払う**

役割があります。

　しかし学びが進むと、こうした脳領域の活動は低下していきます。その結果、とくに気をつけなくても正しい手順で素早くこなせるようになります。

　この段階で活性化するのが、**後帯状皮質**や**左後下頭頂小葉**といった脳領域です。

　ここはボーッとしている状態での脳活動を司る部位です。

　ここが活性化しているときは、手先はスピーディに動きながらも前のことを思い出したり、先のことを想像できる余裕が生まれます。

　いわゆる「スジがいい人」とは、注意を払い続ける状態からいち早く抜け出せた人を示すと言えます。

　私たちは、勉強を通して自分の脳をつくり変えています。

　あきらめず繰り返すことで、脳に新しい回路ができて、最初は高度に思えたことも、必ず鼻歌まじりでできるようになります。

　それを信じて、勉強の最初の進みが遅い時期を切り抜けましょう。**勉強の最初がつらいのは、誰だって一緒なのですから。**

12

✕ 問題は、最後に解く

○ 問題は、最初の段階で 一度解いておく

「問題演習はいつしますか？」

こう聞かれたら、多くの人は「その単元の内容を一通り理解したあとで」と答えるでしょう。

そのうえで、**私はあえて「最初に問題を解くこと」をおすすめします。**普通に考えれば、そんなことをしても的はずれな解答しか出せず、意味がない感じがしますよね。

でも、その「的外れ」にこそ意味があるのです。

2009年、リンジー・エングル・リッチランドらは画期的な研究を発表しました。

76名の学生に、色盲について書かれた医学エッセイを読んでもらい、穴埋めテストで理解度を調べます。参加者は2つのグループに分かれました。

【Aグループ】**教材を読む前に2分間**、最後におこなう穴埋めテストを実際に解いてもらいます

【Bグループ】事前テストはせず、教材を読む時間を2分間オマケします

案の定、Aグループの事前テストの正解率は散々なもので、平均6％でした。

　しかし、本番のテストの結果は驚くべきものでした。

事前テストが散々だったAグループは、ただ教材を読む時間を増やしたBグループよりも約30％も高く正解していたのです。

　このように、最初にテストをする効果を「プレテスト効果」と言います。

　事前に問題を解くことで、教材に対する仮説が生まれます。

「ここはどうなっているのだろう？」

　すると、**その部分に関しては集中的に学ぶようになり、学びの定着が強化されます。**

　それはただインプットする時間を延長するよりも、効果的です。研究チームはこう語ります。

「すべての学習者は、事前テストを意識的におこなってほしい」

　過去問や教材の章末問題があれば、最初にひと通り解いてみましょう。**そして、派手に間違えましょう。**

　その分だけ、あなたの吸収力はアップしているのです。

13

✕ 「合格体験談」の逆転ストーリーを100%信じる

〇 「合格体験談」には、2つの限界がある

あなたは、試験の〝合格体験談〟を読んだことはありますか？おそらく、あるという方が多いでしょう。

「偏差値〇〇からの逆転合格！」
「わずか〇か月の挑戦で見事合格！」

このようなストーリーはとくに胸を打ちますよね。「自分もがんばろう！」という気持ちになれます。

もちろん、先人の経験に学ぶことは大切です。

でも私は成功談あふれる自己啓発業界にいた経験から、**合格体験談は100%信じ切ってはいけないと考えます。**

そこには2つの限界があるからです。

【限界1】当時の感情を忘れて「簡単だった」と表現しがちである

「喉元すぎれば熱さを忘れる」という言葉があります。

人間は過去にどんなキツい感情を体験していても、今、実際に渦中にいなければ、その感情がいかに自分の行動に影響を与

えたかを思い出せないのです。

　すると、こんな現象が起きます。

　2015年、ペンシルベニア大学のメアリー・ハンター・マクドナルドらの研究です。

　現在失業中のグループと、過去に失業しており現在は見事に復職したグループに、あるストーリーを読んでもらいます。

　それは、困窮のあまり違法な仕事に手を出す失業者のストーリーでした。

　そのあとに、この話の主人公の印象を問うアンケートをすると、面白い結果がわかりました。

　見事に失業状態を克服したグループのほうが、現在失業中のグループよりも、失業状態からの回復を楽なことだと評価し、ストーリーの主人公に共感しない態度を示したのです。

　普通は、苦境を見事に克服した経験者のほうが寄り添ってくれるイメージがありますよね。

　でも実際は逆。「**自分はあんなに簡単にできたんだから、君も当然できるよね**」となりがちなのです。

　一部の合格者体験記特有の「マウンティング」が生じるのもこのためです。

【限界2】「奇跡の逆転合格」のパターンに脚色されがちである

　1995年、著名作家カート・ヴォネガットは自身の講演会で、

研究の成果を披露しました。

それは、さまざまなストーリーのパターンを円グラフで表現するというものでした。

興味深く聞き入る聴衆に向かい、彼は1つの仮説を提唱しました。

「すべての物語には美しく整った型（パターン）がある」

この斬新な仮説は、2016年、バーモント大学バーリントン校の研究チームにより証明されます。

彼らは1700作の人気英文学について、そのテキストから、ポジティブ・ネガティブの感情を読み取り、その流れを解析しました。

結果、読み手の心に響くストーリーのパターンをいくつか見つけました。

なかでも人気なのが「穴の中の男」というパターンです。
一度苦境に落ちた主人公が見事にV字回復するというもので、ドラマや漫画でおなじみの「奇跡の逆転モノ」です。

さて問題は、このパターンが事実を語る際にも利用されてしまうことです。

たしかに、編集するほうもつくりやすく、読み手も楽しめるでしょう。でも、それは印象操作になり、事実誤認につながります。

教育系YouTuber・インフルエンサーとして有名な小林尚先生は、この現象に次のように警鐘を鳴らしています。

「本来、合格者の多数派は逆転合格者ではなく、模試でもずっとよい判定を出し続け、受かるべくして順当に受かっている人たちです」

（1）合格体験者は、猛勉強当時の感情は忘れて「簡単だった」と表現しがちであること。
（2）合格体験記自体が「奇跡の逆転合格」のパターンに脚色されがちであること。

　以上、2つの限界を知ったうえであれば、合格体験談は大いに参考になるでしょう。

　同時に、長年合格者を客観的に分析している各種予備校・スクールの見解も聞きましょう。より普遍的な学習情報が手に入るはずです。
　そのうえで、本書のような学習理論書を参考にすれば「鬼に金棒」ですよ。

第2章まとめ

◎ 早く、たくさん、間違えたほうがいい

◎ 覚えたことを、何も見ず必死に思い出す作業が大切

◎ 1日に少しずつ進めて、できるだけ学習量を分散する

◎ 十分な睡眠を取る

◎ 毎日の「勉強を開始する時刻」をきちんと守る

◎ 「毎日やるべき勉強の最低量」を割り振る

◎ 期限を設けることで「ゾーン」に入りやすくなる

◎ 短いスキマ時間を活用する

◎ 勉強の最初がつらいのは、誰だって一緒

◎ 「プレテスト効果」を使う

◎ "合格体験談" とはうまくつき合う

第3章

Do

何歳からでも結果が出る
一生モノのインプット術

14

✕ 試験で使える記憶術は、時間をかけて習得するべき

◯ 試験で使える記憶術は、たった2行で説明できる

「**試験対策にもっとストレートに効く勉強法を教えてください**」

本書をお読みの方の切なる願いでしょう。

資格免許の学科試験や入試の勉強法は、教養のための学びとは異なります。指定された教材をマスターし、試験当日に再現しなければなりません。

そして試験のレベルが高いほど、角度を変えた応用問題に挑む必要があります。丸暗記では到底太刀打ちできません。

いかなる試験にも厳しい制限時間があります。無事突破するためには、正確な知識をいつでも取り出せる準備が必要です。

そのため「試験のための記憶術」は、能力開発の世界では永遠のベストセラーです。

私自身は以前、大手資格試験予備校で記憶術の指導をしていたこともあり、あらゆる記憶術を試してきました。

そこでわかったのが、**記憶術自体がシンプルでなければ意味がない**ということです。記憶術を学ぶために新しい勉強をする時間は受験生にはありません。

でもご安心ください。たった2行の「**究極の記憶術**」を紹介しましょう。それは……

「思い出しテスト：覚えたい内容を一読したら、何も見ずに覚えたことを紙に書き出す。そのあと内容を照らし合わせる」

　もの足りない気もしますよね。でも、本当にこれだけでいいのです。2011年、パデュー大学のジェフリー・D・カルピッキーらは、この点に関するとても大切な研究を発表しました。

　参加者にラッコに関する記事を5分間読んでもらい、その1週間後に内容に関するテストを受けてもらいます。テストの内容は、単純な内容確認だけでなく推論問題もあり、深い理解が試されました。テストまでの間、参加者は次の4グループに分かれて準備をしてもらいます。

【Aグループ】　とくに何も復習をしない
【Bグループ】　4回、記事を読み直す
【Cグループ】　記事を1回読み直したあと、**コンセプトマッピング**という、1枚の紙に内容を図解する手法を習い、手書きで記事の内容をマップにする
【Dグループ】　10分間、何も見ずに憶えていることを書き出したあと、5分間記事を再読。これを2度おこなう。いわば自分で**「思い出しテスト」**をする

　参加者に、このあと1週間の自分の記憶量を予測してもらったところ、もっとも自信を示したのがBグループ（繰り返し読む）であり、もっとも自信がなかったのがDグループ（自分で

思い出しテストをする）でした。

しかし、実際の結果はまったく逆でした。

Dグループ（自分で思い出しテストをする）の参加者は、ほかのどのグループよりも成績がよかったのです。

前述の通り、1週間後のテストは単純暗記だけでなく深い理解も問われました。

つまり自分で「思い出しテスト」をすることで、正確で深い知識を長く大量に蓄えることができたのです。

面白いことに、いかにも体系的な理解ができていそうなCグループ（コンセプトマップを自作する）と比べても、Dグループの参加者は約**50％も高い記憶力スコアを示していたのです。**

なぜ、こんな現象が起きるのでしょうか？　一見すれば「思い出しテスト」は、知識のただの吐き出しに思えます。

でも、実際はその間に「**知識の再構築**」がおこなわれているのです。何しろ実際に紙に書き出す以上は、ごまかしが効きません。明確な知識でないものは文字にはできません。

そのために、脳内では急ピッチで記憶が整理され、きちんと取り出せるかたちに区分け作業がなされるのです。

「思い出しテスト：覚えたい内容を一読したら、何も見ずに覚えたことを紙に書き出す。そのあと内容を照らし合わせる」

たった2行、誰でもできる超シンプルな方法です。

それでいて、内容の理解度を高めて長く残る記憶をつくってくれる最強の方法です。あらゆる試験勉強に使えるでしょう。

正確で深い知識を大量に蓄える方法

ルール

参加者はラッコに関する記事を5分間読み、
その1週間後、内容に関するテストを受ける

グループ

テストまでの間、以下の4グループに分かれて
準備してもらう

Aグループ

とくに何も復習しない

Bグループ

4回、記事を読み直す

Cグループ

記事を1回読み直した
あと、「コンセプトマッ
ピング」をおこなう

Dグループ

思い出しテスト
（10分間何も見ずに憶えて
いることを書き出す→5分
間記事を再読×2）

結果

Dグループの参加者がもっとも成績がよく、
Cグループよりも約50％高いスコアが出た
→「思い出しテスト」が最強の方法！！

15

❌ 覚えにくい暗記事項は、
何度も書いて覚える

⭕ 覚えにくい暗記事項は、
手書きイラストにして覚える

「何度も書いて覚えよう」

学生時代はよく言われましたね。私もボールペンのインクが
何本も空になるくらい、ひたすら英単語を書きまくりました。

もちろんこれで効果のあった方もいるでしょう。

でも、そもそも人間は、文字よりもずっと覚えやすいものが
あるのです。

記憶とは、覚えた時点から徐々に薄らいでいくものです。

思い出すには、記憶のやり直し（再学習）が必要とされてい
ます。

しかし、記憶の研究においては古くから「再学習しなくても、
なぜか思い出せる」レミニセンス現象が確認されてきました。

1987年、ディビッド・ペイネは、この現象について「記憶
増加（hypermnesia）」という概念を提唱しました。

これによると、人は想像力を刺激されるものに接すると、強
制しなくても無意識に記憶したり（保存）、思い出したりする
（検索）学習機能があるとしています。

では、具体的にどうすれば想像力を刺激することができるのでしょうか？

　ペイネが提唱するのが「ビジュアル」の力です。
絵や写真、もしくはイメージ化した言葉。
　こうしたビジュアルに繰り返し触れることが、もっとも記憶増加効果を高めると言います。

　これを証明する伝説的な実験があります。1978年、マシュー・エルデリとジェフ・クラインバードがおこなったものです。

　まず、被験者に60枚のスケッチ画を覚えてもらいます。
　画の内容は、ブーツや椅子、テレビといった身近にあるものです。スクリーンに5秒間隔で1枚ずつ「画像」を投影しながら記憶してもらいます。
　その直後、どれくらい覚えているか言葉で書き出すテストをします。制限時間は7分。正解数は平均27個でした。

　しかし、ここから面白いことが起きます。
なんと、時間が経つつれ、正答率は上昇したのです。
　10時間経過後に同じテストをすると、正解数は32個。
　1日経過後には、正解数は34個。
　そして、4日目（110時間経過後）には最高値の38個まで上昇したのです。
　初回と比べると1.4倍も伸びています。

研究チームは同様の実験を今度は「単語」でおこないました。
こちらも最初のテストの正解数は平均27個。
しかし、その後の変化は先ほどの「画像」と異なります。
10時間経過後の再テストでは30個まで上がったものの、それ以降は伸びませんでした。4日目の正解数は29個でした。

すなわち「画像」と「言葉」では、「画像」のほうが5.7倍も脳の検索機能に働きかけ、何もしなくても長く記憶に残りやすいのです。

ラクガキ程度でもいいから、手書きイラストで覚えてみる

これを踏まえて、私たちはどうすればよいのでしょうか？

何かを学ぶときは、文字だけのテキストに入る前に、図解の入門書や学習漫画を読んでみることです。

すると、絵や写真のイメージが手に入り、それが後々の記憶の素材になります。
学校で配られる図録・資料集の活用もよいでしょう。今ではネットで検索すれば、キーワードに応じた画像やYouTubeの解説動画を簡単に見ることができます。
知識を文字で学ぶ前に、できる限りその知識に対応したビジュアル素材を見ておくのです。

もちろん、この方法にも限界はあります。

そこで次に試していただきたいのは、**自分で覚えたい事項をイラスト化してみることです。**

絵心がなくても構いません。適当にササッとで大丈夫です。関係ある単語を丸で囲んだり、矢印でつなげるのも、立派なイラスト化です。

イラスト化の効果を示す素晴らしい研究があります。

2018年、カナダのウォータールー大学の研究チームによるものです。

13名の認知症のご高齢者の方に、記憶力の課題に挑んでいただきます。このときスタッフが読み上げた60個の単語について、次の2グループに分かれ記憶してもらいます。

【Aグループ】単語を**文字**でメモ書きをする
【Bグループ】単語のイメージを**イラスト化**してもらう

そのあとに、一定の単語を出題して、それが前に読み上げたなかにあったか否かの記憶判別テストをします。

結果としてテストの正解率が高かったのは、イラスト化したBグループでした。

絵といっても4秒程度で描いたラクガキのようなものです。しかし、記憶においては、文字でメモするよりも優れていたのです。

なぜ、こんな現象が起きるのでしょうか？　実際に何かの言葉の内容を絵に描いてみるとわかります。

　まず単語を絵にするには、その意味や特徴を瞬時につかむ必要があります。また実際に手を動かす運動要素もあります。加えて、描き出された絵を視覚的に確認する要素もあります。
　何かを絵にすることは、これほど全身運動であり、脳を刺激してくれるのです。

　何かを覚えたいときは、浮かんだイメージをササッと絵にしてみましょう。
　描いたものは、より鮮明にあなたの脳に残り、あとで引き出しやすくなりますよ。

イラストの力を借りて覚えよう

文字だけの参考書

ビッシリ！

文字だけだと
定着しづらい…

イラストや図解入りの参考書

ビジュアルが
あると、
記憶に残る！

＼ さらに！ ／

自分でも文字を書くだけではなく、
イラストを描いて覚えていこう！

16

✕ 音で覚えたい場合は、プロが吹き込んだ音声教材を使う

○ 音で覚えたい場合は、自分で音読してみる

「『見る』よりも音で『聞く』ほうが覚えやすい」

こういう方も多いですよね。

たしかに講師やプロの声優さんが吹き込んだ「聞き流し」音声教材はとても流行っています。

私自身も、カセットテープの時代から音声教材を利用していました。

たしかに音声学習はとても有効です。

そのうえで、あくまで何かをきちんと覚えたい場合は、もうひと工夫、おすすめの方法があります。

2018年、ウォータールー大学の研究チームは興味深い実験をしました。

75名の参加者に、160語の単語を声に出して読んでもらい、音声サンプルを録ります。

2週間後、その半分の80語について次の4通りの方法で記憶してもらいます。

【学習条件1】音読する
【学習条件2】自分が読み上げた音声を聞く
【学習条件3】他人が読み上げた音声を聞く
【学習条件4】ただ黙読する

　その後、記憶力テストをしたところ、正解スコアの順位は次のようになりました。

1位【学習条件1】音読する　0.77
2位【学習条件2】自分が読み上げた音声を聞く　0.74
3位【学習条件3】他人が読み上げた音声を聞く　0.69
4位【学習条件4】ただ黙読する　0.65

すなわち、「**自分で音読すること**」がもっとも記憶力を高め**たのです。**これを「プロダクション効果」と言います。

　なぜ、このような現象が起きるのでしょうか？
　簡単に言えば、記憶を引き出すときの「ひっかかり」が多いからです。

　音読という行為には、次の3つの要素があります。

・実際にその場で口を動かして、発話する「**運動**」要素
・その場で自分の声を耳にするという「**聴覚**」要素
・そして自分のなかのものを外に出して確認をするという「**自己参照**」要素

これらの要素は、黙読には一切ありません。

そして大切なのは、**あえてナレーターや先生の声ではなく、自分がその場で読み上げた声を耳にすることで、この「ひっかかり」を強めることができる点です。**

自分の声を自分で聞くのは違和感を覚える体験です。しかし、だからこそ特徴的なインパクトになり、その記憶を引き出すときの強い手がかりになりうるのです。

ぜひ、テキストを音読してみましょう。学習への導入のルーティンとしてもおすすめですよ。

17

✕ よりくわしい説明をされると、記憶量が増える

○ 背景にある物語を知ると、記憶量が増える

　あなたのまわりに、語りはじめると止まらないほど、歴史が好きな方はいますか。

　その方々が歴史にハマったきっかけの多くは、おそらくマンガやゲームや小説のようなエンタメでしょう。教科書からハマったという方は少ないのではないでしょうか。

　さて、エンタメにあって教科書にないものとは、何でしょうか？

　それは「**物語性**」です。

　人間の熱く共感できるドラマが、エンタメの要です。

　「成績を上げるための教科書に物語性は邪魔だ」と思う方もいるかもしれません。

　実際はどうなのでしょうか？

　2012年、カリフォルニア大学サンタバーバラ校のダイアナ・アーリアらは興味深い研究を発表しました。

　中学生192名を2グループに分けて、科学について、教材の

内容でどれだけ理解度が変わるかを調べました。

【Aグループ】「普通の**教科書風の説明文**」で学ぶ
【Bグループ】「科学的発見の過程を**物語として表現した教材**」
で学ぶ

　たとえばAグループの教材では「放射性元素は変化しない」
とだけ1行で説明され、Bグループの教材では同様の内容が「マ
リーとピエールは、本物の科学者のように、ピッチブレンド岩
をさまざまな温度で燃やし、さまざまな種類の酸を加えて、ど
うなるかを確かめました。そこで、放射性元素が変化しないこ
とを発見しました」と、その過程の流れまで描写されていまし
た。

　いずれの学生も、学習直後と1週間後に内容の確認テストを
受けてもらいます。
　確認テストは単純な正誤だけでなく、内容全般の深い理解を
問うものも含まれていました。

　結果として、Bグループの物語的教材のほうが高得点であり、
とくに1週間後におこなわれたテストの結果でそれは顕著でし
た。

　なぜ、こんな現象が起きるのでしょうか？　研究チームは次
のように述べています。

　「**物語は、読者とテキストの中身を個人的につなげてくれて、**

概念的な内容への関心を高めてくれる」

　すなわち、教材への興味と関心が高まることで、理解が深まり、印象に残り、思い出しやすくなるのです。

　認知科学者ダニエル・T・ウィリンガムは、**物語は脳にとっての「特権階級」である**と表現しています。
　ほかの情報よりも、人は「物語」にもっとも注意をひきつけられます。

　何かを学ぶときは、ぜひその対象の発見・創造の過程を描いた物語を読んでみましょう。

　Wikipediaで検索したり、YouTubeで検索すれば、たいてい物語にたどりつきます。
　「物語」の力を借りることで、一見無機質な定理や法則が、ぐっと記憶に残りやすくなりますよ。

18

> ✕ 記憶量は、
> かけた時間に応じて増える
>
> ○ 記憶量は、
> 体感した時間に応じて増える

「できれば記憶にかける時間を減らしたい」

誰もが望むことです。

時間をかければ、覚えられる量が増えるのは当然です。

でも、あまり時間を増やせない場合は、どうすればよいでしょうか？

答えは、客観的な時間ではなく、あなたの**主観的な時間を増やせばよい**のです。

1920年代から心理学の世界では、個々人が主観的に感じる時間感覚が研究されてきました。

そんな時代の流れのなかで、マンチェスター大学のルーク・A・ジョーンズらは、2017年、画期的な研究を発表しました。

20名の参加者の一部に、まず反復する5Hzのクリック音を5秒間、聞いてもらいます。

次に、瞬間的に投影された文字を、できるかぎり記憶してもらいます。

すると、クリック音を聞いた参加者は、そうでない参加者よ

りも約4％、記憶に残った文字数が多かったのです。

なぜ、こんな現象が起きたのでしょうか？
じつはクリック音を意図して聞くことにより、参加者が感じる主観的な時間が長くなったのです。
これにより情報処理が深くなり、結果として、記憶力の上昇につながったのです。

この仕組を日常で応用にするには、**記憶するときにストップウォッチで時間を計測する**ことがおすすめです。

ストップウォッチは「ピッ」とはじまり「ピピッ」と終わるものが多いですよね。
このような意図した区切りにより、学習者は主観的な時間を意識することができます。すると、結果としてその時間内に扱った事項に対する記憶力が増えるのです。
すぐにできますので、試してみてくださいね。

19

✕	記憶作業は、 一気に集中しておこなう
○	記憶作業は、 間に睡眠をはさむ

「習うより慣れよ」という言葉があります。

どんなに優れた教材があっても、それを自分のなかにインプットするには、どうしても**繰り返し**が必要です。この繰り返しを「再学習」と言います。

学び、忘れ、再度覚える反復のプロセスによって、いつでもすぐに再現できる知識やスキルが身につくのです。

「再学習」自体をなくすことはできません。でも、その回数を少なくするコツはあります。

本節ではそのとっておきのスキルをご紹介しましょう。

2016年、リヨン大学の心理科学者ステファニー・マッツァらはこんな素晴らしい研究を発表しました。

40名の参加者に、16個のスワヒリ語のフランス語訳を覚えてもらいます。

参加者は2グループに分かれて、異なる時間帯で学習をしてもらいました。

【Aグループ】朝9時に1回学習し、その日の夜9時に復習
【Bグループ】夜9時に1回学習し、**しっかり寝たあとで、**翌日の朝9時に復習

　復習の間隔はいずれも12時間です。復習時には、完璧に覚えられるまで繰り返してもらいます。

　1回目の学習時点では、どちらのグループも記憶できた量にはあまり差はありませんでした。しかし12時間後の復習タイムでは、**睡眠をはさんだBグループのほうがAグループよりも約27％も速く記憶することができていました。**

　そのあと、1週間後と6か月後に確認テストを受けてもらいます。かなり間が空きますよね。結果は次の通りでした。

【1週間後の記憶数】
　Aグループ（睡眠なし）　11.25
　Bグループ（睡眠をはさむ）　15.20

【6か月後の記憶数】
　Aグループ（睡眠なし）　3.35
　Bグループ（睡眠をはさむ）　8.67

　ご覧の通り、**睡眠をはさんで2度目の復習をしたBグループは6か月後も高い記憶力を保っていた**のです。
　Bグループは、1週間後に覚えていた項目の56％を、6か月後にも思い出すことができていました。

他方、Aグループ（睡眠なし）では、そのような項目はBグループの約半分、30％でした。

　記憶術の世界では「**スペーシング効果**」という言葉があります。連続して詰め込んで覚えるよりも、間隔をあけて、時間を置いて再学習することで記憶の定着が改善するということです。
　本研究は、さらにその**間に睡眠を取ることで劇的に長い記憶を保持できる**ことがわかりました。

　起きている間は、イヤでもさまざまな情報が流れ込んできます。この点、睡眠は記憶を減衰や干渉から受動的に保護してくれます。それだけではなく、初めて見たときは覚えきれなかったことも能動的に定着させてくれるのです。

　ここから、次の2つの学習スタイルが提案できます。

（1）夜、寝る前に記憶作業をおこない、翌朝、起きたらすぐにそれを復習する
（2）一度記憶したあと、ミニ睡眠を取り、そのあとで再び覚え直す

　こんな効果的な記憶法ですから、私自身も実践しています。
　もしあなたがスマホを見ながら寝落ちし、起きてすぐ通知画面を見るという方なら、その時間を記憶作業に少しあてるだけでも、驚くほどインプットが進むでしょう。

睡眠時間を学習時間でサンドしよう

Ⓐ	学習	活動	復習

Ⓑ	学習	睡眠	復習

Bのほうが6か月後も高い記憶力を保っていた！

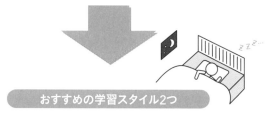

おすすめの学習スタイル2つ

①

**夜寝る前に記憶作業をおこない、
翌朝起きたらすぐにそれを復習する**

②

**一度記憶したあと、ミニ睡眠を取り、
そのあと再び覚え直す**

20

✕ 記憶作業を減らすには、覚える項目を絞る

○ 記憶作業を減らすには、記憶のつながりを増やす

あなたは、自分の携帯電話の番号を何も見ないで言えますか？　おそらく言えるでしょう。

11ケタの数字の列を暗記していつでも言えるというのはすごいことですよね。

もちろん、自分に関連した大事なことだから覚えているという点もあります。

そして、もう1つ暗記できている理由は「3文字」－「4文字」－「4文字」とハイフンで区切ってあるからです。

こうした「かたまり」になっていると、人は覚えやすく思い出しやすいのです。

認知心理学では、こうした覚えたいもののかたまりを「チャンク」と呼びます。

そして、情報に触れるたびに増えた「チャンク」を、関連した概念ごとに整理してまとめることを「チャンキング」と言います。

「チャンキング」の概念は、1956年、神経学者ジョージ・ミラーの論文で初めて提唱されました。

ミラーは、私たちが一時的に記憶できる項目数は「7±2」個、つまり5〜9個であるという仮説を提唱しました。

　あなたはどうですか？　たしかに、メモなしにソラで暗記できる量はこれくらいではないでしょうか。

　この限界数については今でもさまざまな意見があります。そして大切なのは、ここからです。

　ミラーは**私たちの記憶できる単位数に限界があるならば、その1つひとつに最大限の意味を持たせれはよいのでは？**　と考えました。これが「チャンキング」の概念のはじまりです。

　その一例を紹介します。

　「さ」「し」「す」「せ」「そ」。誰もがわかるひらがな5文字です。本来この5文字で記憶の限界数5つ、と言えます。

　そこで、この5つの情報単位に最大限の意味を持たせてみます。おなじみの、代表的な調味料の名前とつなげると、

　【さ】とう（砂糖）、【し】お（塩）、【す】（酢）、【せ】うゆ（醤油）、み【そ】（味噌）。

　すると、「代表的な家庭の調味料は、さしすせそ」と覚えるだけで、自然に5品目の記憶がスルスルと引き出されるのです。

　「語呂合わせ」や「頭文字」とも呼ばれる方法です。

　一見すればお遊びですよね。でもミラーは、この自分の発想を自信ありげに「**思考プロセス**」の生命線と呼びました。

その後の研究で「チャンキング」には次の3つの効用が確認されています。

① より多くの情報を記憶するときの「**足場**」になる
② 記憶したものを思い出すときの「**きっかけ（トリガー）**」になる
③ **一度に処理できる情報量を増やす**

とはいえ「チャンキング」自体は決して難しい方法ではありません。じつは、私たち人間は自然と、幼いころからおこなっていることなのです。

人工知能研究者アラン・ニューウェルは、**私たちの学ぶ速度に比例してチャンキングできる量は増えていき、その量に比例して課題をこなすスピードが高まる**と提唱しています。

とくに顕著なのが「言葉の習得」です。
心理学者ゲーリー・ジョーンズによれば、2〜3歳の子と4〜5歳の子の語彙力に大きな差があるのは、年長になるに従い「チャンキング」がうまくなり、親などから聞いて覚える語彙の量が爆発的に増えるからだ、とされています。

そして、この仕組みは「第2言語の習得」にも活用できます。

2016年、中国のチンタオ科学技術大学のファン・シューは、中学以来英語を学んでいない112名の学生を対象に、英語の授

業をおこないました。

このとき半分の学生については、後期授業からチャンキングに基づいた記憶術を指導しました。

その指導はリスニングやスピーキングも対象になりました。

学生たちは、総合問題的な学年末テストを最後に受けます。

結果は、**長文読解・リスニング・語彙文法問題・英作文の全分野において、チャンキングの指導を受けた学生たちが、指導を受けていない学生を上回っていました。**

総合スコアについては、約14％高いものでした。

このように、語学学習においても「チャンキング」のスキルはとても役立つのです。

「チャンキング」の方法

では、具体的にどのようにチャンキングをすればいいでしょうか？

代表的なのが、先ほども述べた「**語呂合わせ**」や「**頭文字**」を使ったものです。

【米国の五大湖】

H・O・M・E・S→Huron, Ontario, Michigan, Erie, Superior

【会社のコミュニケーション】

ホウ・レン・ソウ→報告、連絡、相談

記憶したいものがあるとき、このようにオリジナルの語呂を
つくってみるのもおもしろいですよ。

　どうにも語呂が悪い、と思うものもあるかもしれませんが、
多少無理矢理のほうが案外印象に残りやすいものです。

　さらに、おすすめの方法があります。

　私たちは新しい情報を学ぶとき、その情報に聞き覚えがある
場合は、自分のなかの過去に学んだカテゴリーと強く関連づけ
ようとします。

　そこで、**新しい知識事項が出てきたときに、覚える前に次の
ような質問を自分にしてみましょう。**

　**「この知識は、今まで学んだことと、どんな関係があるだろ
う？」**

　すると自分のなかで記憶の「つながり」ができ、知識が定着
しやすくなります。

　私自身もこれにより、最小限の労力で必要な知識を覚えられ、
かつ発表するときは連想ゲームのようにスラスラとアウトプッ
トができています。

　ぜひ、私たち誰もが持つ**「チャンキング」**の力を活用しまし
ょう。

21

✗ 人は「整理されているもの」の
　　ほうが覚えやすい

○ 人は「ごちゃ混ぜのもの」の
　　ほうが覚えやすい

「キレイにノートを整理したのに成績がイマイチだった……」

「丁寧でわかりやすくまとまった参考書で勉強したけど、それほど頭に残らなかった」

あなたも経験があるかもしれません。

やりきれないですよね。

本節では、その謎を解明したいと思います。

2008年、心理学者ロバート・ビョーク博士らは予想外な研究結果を発表しました。

120名の参加者に、12名の画家が書いた複数の絵画を見せたあとに、いくつ見たものを思い出せるか記憶力をテストしました。このとき、見せ方により参加者は2グループに分けられました。

【Aグループ】画家ごとに**まとめて整理して**見せていく

【Bグループ】さまざまな画家を**混ぜてランダムに**見せていく

結果、**より正確に見た絵画を覚えていたのは「ごちゃ混ぜ」を見せられたBグループのほうでした。**

　なぜ、こんな現象が起きるのでしょうか？
　ビョーク博士によると、学ぼうとするものが多種多様に混ざっていることで、学び手はそれぞれの共通点と相違点を見分けようとします。それにより、ただ同じものを見続けるよりも深く対象を理解していくそうです。

　思えば、現実世界は複雑です。さまざまな要素が絡みます。そのため私たちの脳は「ごちゃ混ぜ」の総合問題・応用問題を解決するために発達したと言えます。

　私たちの学習も意識して「ごちゃ混ぜ」部分をつくっていきましょう。

　たとえば1日1科目ではなく、短い時間で科目を変えて1日数科目勉強する、最終的にはすべての科目の間違えた部分だけを1冊のノートにまとめる、などがあげられますね。

　商品という性質上、参考書や動画教材はどうしても「すっきり整理されている」ものになりがちです。ぜひ、あなた自身でどんどん混ぜていってくださいね。

"ごちゃ混ぜ勉強法"のススメ

1日目	現代文	
2日目	英語	1日1科目勉強する
3日目	世界史	

1日目　現代文＋英語＋世界史＋古文…

**短い時間で科目を変えて、
1日数科目勉強する**

**最終的にはすべての科目の間違えた
部分を1冊のノートにまとめるのもアリ！**

22

**✕ 年を重ねると、
記憶力の低下は避けられない**

**〇 年を重ねても、
脳はアップデートできる**

**「年を取るともの覚えが悪くなる」「年を取ると頭が回らなく
なる」**というのは、誰も疑わない常識です。

ここで意外な研究を紹介しましょう。

2011年、アメリカのタフツ大学の研究です。

若者（平均18歳）と高齢者（平均69歳）が集まり、一度見
た単語を思い出す課題に挑戦してもらいます。

このとき一部の参加者には、あえて「年を取ると記憶力は衰
える」という説明を事前に吹き込みました。

その影響は予想以上でした。

説明を受けなかった参加者については、記憶力テストの正解
数が若者も高齢者もほとんど変わりませんでした。

しかし、説明を受けたほうの高齢者は、同じ説明を受けた若
者の**「約1.36倍」も不正解**を連発しました。

ここでわかるのは「思い込み」の恐ろしさです。

**「加齢による記憶力低下」と吹き込まれた高齢者は、それに
より自信を失い、無意識に記憶力の発揮を抑えてしまったので
す。**

では「年を取ると、もの覚えが悪くなる」という常識に耳を傾けなかった高齢者の脳には何が起きるのでしょうか？

　なんと若い方より脳を巧みに活用できる可能性があるのです。

　2002年、アメリカのデューク大学のロベルト・カベサらは衝撃的な研究を発表しました。

　事前テストの成績をもとに、3つのグループに分けます。

【Aグループ】20〜35歳までの若年層
【Bグループ】高い成績だった64〜78歳までの高齢者層
【Cグループ】並の成績だった63〜74歳までの高齢者層

　そのあとで記憶力テストをして、思い出す力を調べます。

　研究者が注目したのは、脳のPFC（前頭前皮質）と呼ばれる部分でした。ここは私たちの行動・計画・人格・社会認識を調節する重要な部分です。

　さて、面白いのはここからです。

**　なんと、事前テストで高成績だったBグループの高齢者層は、脳の左右の両側でバランスよく、PFC（前頭前皮質）を活性化させていたのです。**

　何かを思い出すときは、脳においては候補となる情報を検索する「生成」と、検索された情報のなかから選択する「認識」の2つの過程があります。

　そして、PFC（前頭前皮質）においては左前部が前者の「生成」に、右前部が後者の「認識」に関与しているとされていま

す。

　この点、Aグループの若年層や、Cグループの成績が並の高
齢者層は右前部のみが活性化していたので、最後の情報の絞り
込みで勝負をしていたと言えます。

　しかし、左右両側が活性化していたBグループの高齢者層は、
そもそも大元の情報の検索を変えることで、効果的な記憶をし
ていました。なんとも巧みな頭の使い方をしていたのです。

　研究チームは次のように言います。

　「能力の高い高齢者は、脳の機能を再構築することで、加齢
による神経の衰えを克服している」

　**人は、たとえ年を重ねても、工夫次第で自分の脳をアップデー
トできる。**脳科学の実験が教えてくれたこの事実は、多くの
方の希望になるはずです。

　そのときにもっとも邪魔するのが、冒頭の「思い込み」です。
　もちろん年を重ねることで、生理機能の衰えは避けられない
でしょう。でもその代わりに「年の功」ともいうべき巧みさが
備わるのです。もし「もう年だから」という声が聞こえたら、
こう思い直しましょう。

　「年を重ねたからこそできることがある」

　学びを続け、脳をアップデートし続けることこそが本当の若
さなのです。

23

✕ 記憶力を高める必要があるのは、若者だけである

○ 高齢化社会では、記憶力訓練はラジオ体操のように日常になる

　記憶力トレーニングといえば、テスト対策など「若者用」のものに思えます。しかし、記憶は人間の認知の中核です。過去の記憶があるからこそ、それをもとに新しいことが学べ、未来を計画することができます。

　つまり私たちは生涯、記憶力を高めていく必要があるのです。

　本節では「**生涯学習としての記憶力トレーニング**」についてお話しします。

　イギリスのカーディフ大学医学部のスタブロス・ディミトリアディスらは、2016年、こんなうれしい研究を発表しました。

　軽度認知障害（MCI）をお持ちの高齢者158名に、10週間、毎日90分の記憶力トレーニングを受けてもらいます。

　研究チームが注目したのは、患者の安静時の脳内ネットワークの状況でした。ここに不具合があると、長期・短期記憶や反応速度の低下が生じます。

　10週間のトレーニング後、あらためて脳の状態を計測すると、驚くような発見がありました。

　思考や感覚を司る「前頭葉」「側頭葉」「頭頂葉」といった部

位がより高いレベルで結合されていました。

　すなわち脳の神経がはっきりと機能改善されていたのです。

　日本は世界一の長寿国です。とてもめでたいことである反面、やはり認知能力の衰えに誰もが備える必要があると言えます。

　本来であれば、**ラジオ体操のようなレベルで毎日、記憶力トレーニングもしたほうがよい**のです。

　では、どのようにすればよいでしょうか？

　一般に何かをちょっと覚えておきたいときは、口で唱えたりして、単純な繰り返しをします。さらに数日から数年にわたりいつでも思い出せるようにしたい場合は、工夫が必要になります。

　この工夫が記憶力トレーニングなのです。

　一見すれば難しそうに思えるかもしれません。

　でもその肝は、「**新しく覚えたいことを、今持っている知識に結びつけていく**」ことです。

　たとえば、新しく覚えたいことを知っている言葉に言い直したり、映像イメージに置き換えたり、今知っている似たもの同士をグループにまとめてみることです。

　これを、健康体操のように時間を見つけてしてみましょう。

　あなたの脳は知らず知らずのうちに機能改善されていきますよ。

24

✕ 講義メモは、
スマホやPCでおこなう

○ 講義メモは、
やはり手書きでおこなう

最近はスマホのメモ帳機能でメモを取る方が多いです。また大学以上になれば、講義中もノートPC（パソコン）は持ち込めるものです。

たしかに手を動かすよりもスピードは速いですし、変換候補も出てくるので内容も正確になるでしょう。

でも、ちょっと聞いてほしい話があります。

2014年、プリンストン大学のパム・ミューラーの研究です。

学生67名に15分の教材動画を5本見てもらい、普通の講座と同じくメモを取ります。方法は次の2通りです。

【Aグループ】「**手書き**」でメモを取ってもらう
【Bグループ】「**ノートPC**」でメモを取ってもらう

その後30分間、別の課題をしてもらい、頭をカラにしてもらったあとに、動画の内容について次の2通りの質問をします。

【パターン1】動画で出てきた事実を思い出してもらう**単純な質問**

【パターン2】動画で出てきた概念や考え方を説明してもらう
応用的な質問

　さて、結果はどうなったのでしょうか？
　まず【パターン1】の単純な知識確認では、正解数にそれほど差はありませんでした。
　しかし【パターン2】の概念を問う**応用的質問では、あきらかに「手書き」のほうが高い正解率を誇っていました。**

　ほぼ同じ学力の学生が、同じ教材を、同じ時間だけ見てメモをしているのです。なぜこんな差が生まれるのでしょうか？

　研究チームが注目したのは、メモの長さでした。
　Bグループ（ノートPCでメモ）の学生は、Aグループ（手書きでメモ）の学生よりも約2倍も多く単語を書いていたのです。
　当然、手書きは大変です。話されたこと全部をメモすることはできません。そこで、どうしてもポイントだけを単語で短く箇条書きすることになります。結果、無意識に内容を要約して自分の言葉に落とし込んでいたのです。

　つまり手書きでメモをすることは「記憶するものの準備」ではなく、すでに効果的な記憶をおこなっていると言えるのです。
　ぜひあなたも手書きに挑戦してみてください。手を働かせた分、あなたの脳も働いているのです。

25

✕ 最初から、大切なところには 蛍光ペンを使う

○ 全体を2回読み直すまでは、 蛍光ペンは我慢する

「大事な箇所は蛍光ペンを引く」

学生も社会人もやることです。蛍光ペンでハイライト（強調）することで、どこが大事かひと目でわかり、記憶に残りやすいですよね。

とはいえ、**ページの大半をハイライトしてしまい、塗りすぎてどこが大事かわからなくなる**ということもありがちです。

じつは、蛍光ペンを手にする前に、いったん我慢する時間が必要なのです。

この点、2014年、カバナント大学のキャロル・ユーらは興味深い研究を発表しました。

学生184名を「蛍光ペンを使う」グループと、「使わない」グループに分け、地下水に関する学術資料を読んでもらいます。

1週間後、穴埋め形式の内容確認テストをしました。

結果として、読んでいる最中に蛍光ペンの使用を許可された学生は、禁止された学生よりも32％も高い正解率でした。

やはり、蛍光ペンの使用は記憶には有効なのです。

第3章 Do 何歳からでも結果が出る一生モノのインプット術

さて面白いのはここからです。

　蛍光ペンを使った参加者をさらに次の2つのグループに分けました。

【Aグループ】1回資料を読んだあと、**すぐに**読み直して復習した

【Bグループ】1回資料を読んだあと、**30分間時間を空けて**復習をした

　両者の成績には驚くべき差がありました。

　すぐに復習したAグループのほうが、時間を空けたBグループの約3倍も正解率が高かったのです。

　なぜ、このような現象が起きたのでしょうか？

　人は、初めて読む文章は、すべての箇所が重要に見えてしまいます。しかし、いったん全体像がわかったうえであらためて読み直すと、最初に比べて、重要箇所の輪郭がはっきりしてきます。

　そして、この作業は、初めて読んだあとにすぐおこなうほうが、1回目のイメージが鮮明に残っているのでスムーズになります。さらに、その再読のあとで、重要に思った箇所だけに蛍光ペンで強調表示をすると、より効果的になるのです。

　まとめると、

【Step1】学ぶ箇所全体に目を通したあと、すぐに読み直し復

習する

【Step2】そのあとで、蛍光ペンで重要に思える箇所をマークする

これがベストな蛍光ペンの使い方です。

では、具体的には蛍光ペンは何色を使えばよいのでしょうか？　もちろん好みはあるかもしれませんが、色には固有の性質があり、私たちの脳はそれに応じて反応を変えます。

この点、デザイナーのロアード・エヴァは次のような分類を提唱しています。

【緑色】集中力を高める色／自然の色であり、重要箇所のマーク全般におすすめ

【黄色】もっとも学び手の注意を引く色／「ここは間違えたくない」という部分におすすめ

【オレンジ】気分を高揚させる色／正解部分の○をつけるときの色におすすめ

【青色】生産性・思考力を高める色／数字やプログラム言語のマークに最適なほか、スケジュール帳の期限の強調などにおすすめ

ぜひ参考にしていただき、手持ちの教科書をパワーアップさせてくださいね。

26

✕ 学習ノートは、覚えたいことを 自由にまとめる

○ 学習ノートの理想は、「If−then モデル」のシンプルなもの

あなたは「学習ノート」はつくっていますか？　まったくつくっていない方もいれば、資料のコピーやマーカーを駆使した技巧派の方もいるかもしれません。あるいはEvernoteなどの思考整理ツールを使う方もいるかもしれませんね。そういえば、以前「東大生のノート術」がブームになりました。

ここで考えてみてください。

実際の試験や課題発表時は、大学のゆるい単位でもなければ、自作のノートは持ち込めませんよね。あくまで、あなたの頭脳ひとつで勝負することになります。

それを踏まえれば、**ノートの役割は、本番当日に学習内容の記憶の再現を手助けするもの**でなければなりません。

では、どうすれば記憶を再現しやすくなるのでしょうか？
ちょっと角度を変えた研究を紹介しましょう。

1997年、ニューヨーク大学のピーター・M・ゴルウィッツァーらは画期的な研究を発表しました。
86名の学生ボランティアに、クリスマス・イブをどう過ご

したかを具体的に書いて、レポートで提出してもらいます。
　提出目安は、イブの2日後です。

　研究チームは、参加者の一部に、次のような形式でレポート
提出の計画を立ててもらいました。

　"If A,then B"（A-○○という状況になったらすぐに、B-○
○という行動をします）

　具体的には「イブの翌日の朝になったらすぐに、水槽前のテ
ーブルでレポートを書きます」のような感じです。ちょっとこ
まかい感じがしますよね。

　でも、この**「If−then」モデルで計画を立てた参加者のうち、
じつに約7割の参加者が提出期限を守りました。なお、それ以
外の参加者の提出率は約3割でした。**

　If−then計画のモデルはこのあともさまざまな場面で研究実
践され、今でも目標設定の基本技術とされています。
　人間は変化を嫌う生き物です。
　だからこそ最初にはっきり「こうきたら、こうする」と決め
てしまうと、できるだけそれに従おうとするのです。

　この心の仕組みは学習ノートに活用することをおすすめしま
す。やることはシンプルです。

「AときたらB（A→B）」というシンプルなかたちで、覚えたいことだけをまとめていけばいいのです。

たとえば、似ていて紛らわしい法律用語として「直ちに」「速やかに」「遅滞なく」の意味を分けて覚える場合は、こんな感じです。

「直ちに」→いかなる言い訳も認めない、すぐにやれ
「速やかに」→できるだけ早く
「遅滞なく」→合理的な理由があれば遅れてもよい

きちんと文章にする必要はありません。
キーワード同士を「→」でつなげればいいだけです。

この方法であれば、覚えるべき事柄の違いが明確になります。
とくに試験の勝負を決める「ひっかけ」問題対策に威力を発揮するでしょう。
近いイメージは「単語帳」です。表に単語を書き、裏にその意味を書くシンプルなツールですが、じつはあの形式こそがもっとも理想的なノート術だと言えるのです。

ちなみに私は今でも講義メモや本の調査メモはこの形式でおこなっています。シンプルだからこそ、いつまでも使えるスキルなのです。

27

✕ 論文・口頭試験では、多く論拠を述べたほうが勝ち

○ 論文・口頭試験では、挙げるべき論拠は「3つ」に絞る

「論文や口頭試験の場合は、何か対策はありますか?」

より難易度の高い試験にはつきものの質問です。

適切に題意をとらえて、それに沿ったあなたなりの論拠を伝える必要があります。単純正誤問題とは違った難しさがありますよね。

私は25年以上書籍を出版し続け、またセミナーで数多くのプレゼンの実践や審査をおこなってきました。

この経験からお伝えできるコツがあります。

それは、**あなたが挙げるべき論拠を「3つ」に絞る**ということです。

普通は、たくさん論拠を挙げるほど説得力が増す気がしますよね。でも**「3」という数字には魔法の力がある**のです。

2010年、ロンドン大学の脳科学研究所は、こんな意義ある研究を発表しました。

19名の参加者に、日用品に関する3〜6種類の単語を聞いて

もらい、それらが置かれた1つの部屋の風景をイメージしてもらいます。

　参加者は目を閉じ、まったく白紙の状態から鮮明に想像する必要があります。

　さて、面白いのが、参加者のイメージ中の脳の活性具合です。

　1つ目の単語をイメージした時点で、脳内では空間把握を司る海馬や脳の司令領域が活性化をはじめました。

　2つ目の単語ではさらに活性が増して、3つの目の単語をイメージしたときには脳全体が最大の活性化を見せました。

　しかし、3つ目をピークとして4つ目以降の単語を聞いてもそれ以上の活性化は起こりませんでした。

　研究チームは次のように考察しています。

「人は3つの要素があれば、まとまった鮮明な情景を描くことができる」

　中国の思想家・老子はこう遺しています。
「道は一を生じ、一は二を生じ、三は万物を生じる」
（道徳経 第42章）。

　逆に、3を超えて論拠を述べられると、相手は不信感すら感じはじめるという実験もあります。

　実際の論文・口頭試験においては、まず「**3の魔法**」を使うことを宣言しましょう。

論点についての自分の結論を述べたあとで、「その論拠が3つ
ある」と言い切ってしまうのです。

　たとえば、「**〇〇という点については、私は〇〇だと考えて
います。理由は3つあります**」のような感じです。

　すると相手の脳は無意識に安心をして、あなたの話を聞く準
備をととのえてくれます。

　私は、インタビューや調査をするときも、この魔法を使って
います。「この点について大事なことを3つ教えてくれますか？」
という感じです。

　不思議なことに、「大事なことを1個だけ教えてください」と
いうよりも核心的なことを聞き出せるのです。

　ぜひ、この伝え方を身につけてください。

　そして、普段から勉強するときも3つのポイントを拾う意識
で、本を読んだり講座を受けてみてください。

28

× 究極の読書法は、
　1分間で本を読み切ること

○ 究極の読書法は、
　「9割捨てる」こと

「私はページの真ん中に指を走らせる速読コースを受講し、『戦争と平和』を20分で読むことができた。ロシアの話だったね」

名喜劇監督ウディ・アレンのジョークです。ただ速いだけで、何も身につかない「速読法」を皮肉っています。

「どんな分厚い本でも1分間で読めます」という速読法はたくさんあります。でも、大事なのはその先です。

とくに**試験勉強で求められるのは、内容を深く理解し、どんな角度からの質問でも答えられるようになること**です。

この期待に、世の中の速読法は応えられるのでしょうか？

象徴的な実験があります。

1980年、カーネギーメロン大学の研究チームは、次の3つのグループに文章を読んでもらいました。

・速読者グループ（1分間に約600〜700単語読める）
・一般人グループ（1分間に約250単語読める）
・読み飛ばしグループ（1分間に約600〜700単語見てもらう）

最後に要点確認テストをすると、面白い事実がわかりました。

一般人の約2.5倍速で読める速読者グループの点数は、読み飛ばしグループよりはマシなものの、あきらかに普通に読んだ一般人グループより下でした。

さらに、**課題の文章を、背景知識のない高度な科学論文にすると、速読者チームの点数は最下位になってしまいました。**

この実験が教えてくれるのは、「理解」の本質です。

結局、理解とは今までの知識と新しい知識の結びつきで起きるものです。**いくら速く読めても、まったく知識がないものを理解することはできない**のです。

2016年、カリフォルニア大学のキース・レイナーらの研究チームは、速読法の歴史を総括したうえで、次のように述べています。

「読書速度は、眼球運動のコントロールよりも、その人の言語処理能力次第である」

結局、誰でも、どんな本でも素早く読みこなす速読法は存在しない、というのが通説となっています。

入門書からはじめて、徐々に専門用語と理論展開に慣れていく。それがもっとも意味のある読書法であり、勉強法なのです。

でも、これで終わりならばちょっとつまらないですよね。

ご安心ください。

　キース・レイナーらの研究チームが、ある手法についても一定の評価を下しています。

　それが「**スキミング**」です。

　これは、文書全体ではなく、自分にとって重要な部分だけを選んで精読していく方法です。

　会議前の資料の読み合わせや、試験前のヤマ当てでは誰もがやっていることです。

　この発想を読書においてもおこなうのです。

　スキミングの要は「目的意識」です。「これだけは知りたい！」という指針です。

すべて読む必要はない

　研究チームは、より効果的なスキミングの方法として次のものを提唱しています。

　「効果的なスキミングは、見出し、目次、キーワードをまず見て、自分と関連しそうな領域を探すことからはじまる」

　つまり、自分と関連しそうなところだけを注意深く読んでいけばいいのです。強い目的意識がある拾い読み、と言えます。

　私も長く速読を研究し、世界的な速読法のインストラクターの資格を持っていたこともあります。

しかしながら、やはり一部の天才ではなく、万人が使える意味ある速読法は、この「スキミング」的な発想が不可欠であると確信しています。

ここから1つ、すぐに活かせる速読法が「**1ブック・3ポイント・1アクション**」です。

1冊の本から、3つだけ学びを得るつもりで読むのです。

そのためにまず自分がもっとも解決したい（知りたい）テーマを3つ決めて、かつ、その問いに自分なりの仮説を立てておきます。

そして、左記のスキミング理論のように、その本の「表紙」「帯」「前書き」「目次」「全体をパーっと流し見したときの印象」から、その答えが書いてありそうな場所を探し、そこだけを読むのです。

そして「ただのいい話」で終わらせるのではなく、自分がこのあとで実践する行動を1つ決めます。

正直、これでしっかり読めた部分は本のうちの1割程度でしょう。でも、罪悪感を覚える必要はありません。その本で人生が変わることが著者の最大の願いなのですから。

端的に言えば、**本の内容の9割を捨てて、読まないことが、速読の秘訣なのです。**

本書もぜひ、この方法で読んでみてくださいね。

第3章まとめ

◎ 自分で「思い出しテスト」をする

◎ 「画像」と「言葉」では、「画像」のほうが5.7倍も脳の検
　 索機能に働きかけてくれる

◎ 何かを覚えたいときは、浮かんだイメージをサッと絵に
　 する

◎ 「自分で音読すること」がもっとも記憶力を高める

◎ 物語で学ぶと、記憶が定着する

◎ 記憶するときはストップウォッチで時間を計測する

◎ 記憶の間に睡眠を挟むと、定着率が劇的に向上する

◎ 「チャンキング」を使う

◎ きれいに整理されたものよりも、ごちゃ混ぜのもののほう
　 が覚えやすい

◎ 年を重ねても、工夫次第で脳をアップデートできる

◎ 講義メモはスマホやPCではなく、手書きのほうが効果的

◎ 参考書を初めて読むときは蛍光ペンは引かない

◎ 「If－then」モデルで計画を立てる

◎ 論拠は3つにまとめる

◎ 「1ブック・3ポイント・1アクション」で読書する

自分自身で勉強を適切に評価する

29

**✕ 本番までに、モチベーションを
上げておく**

**◯ 本番までに、課題の分析力を
上げておく**

「最後は気合だ！」

試験本番の前によく言われることです。たしかに人生は勢い
も必要です。「火事場の馬鹿力」という言葉もあります。

でも、本当にこれは有効なのでしょうか？

この点、1つの逸話を紹介します。

2015年9月19日、日本ラグビー史上最大の奇跡が起きました。

ラグビーワールドカップで、日本が世界的強豪の南アフリカ
に勝ったのです。

それまでの日本の対南アフリカの戦績は16連敗。

南アフリカは過去2回のワールドカップ優勝経験を持つ強豪
中の強豪です。

誰もが、日本は連敗記録を更新するものだと思っていたなか
での、まさに「奇跡」です。

さて、この奇跡の立役者が日本代表ヘッドコーチの**エディ・
ジョーンズ**です。

エディが改革したものの1つが、試合前の気合を入れるため
の儀式です。

当時の日本ラグビーでは、試合前のロッカールームで、選手

全員が怒号を上げながら涙目で気合を入れ合っていました。

しかし、エディはこの伝統をバッサリと廃止します。

80分という長丁場の試合では、一時的なテンションアップは意味がないと考えたのです。

エディは、冷静にチームのメンバーに問いかけました。

「試合の60分を過ぎた時点で、どんな状況になっていてほしいか？」

その問いかけと分析が、まったく新しい戦略を生み出しました。試合では、60分を過ぎればどのチームも疲労のためスピードが落ち、タックルの位置が高くなり、タックルの威力も弱くなります。そこで、エディはこんな具体的なトレーニングを考案しました。

（1）筋力トレーニングをして身体を絞り、瞬発力を上げる
（2）格闘技で世界中の大柄な選手を倒してきた高阪剛選手をコーチに招き、低いタックルを修得する

エディが上げたのはチームの「テンション」ではなく、課題の「分析力」でした。

課題本番当日に、実際に勝負を決めることは何か？
それを克服するために何を準備するべきか？
考え抜いた先に、奇跡が待っていたのです。

これは勉強においても同様です。

ぜひ、次の3つの問いをご自身に投げかけてください。

【問1】課題本番の当日に、自分は**どんな状態になっている必要があるか？**

【問2】本番中に**もっともキツいのは**どんな場面か？

【問3】そのキツい場面を乗り越えるには、**何をトレーニングすればよいか？**

この問いに答えるためにも、できるだけ学習の早い段階で、制限時間を守って過去問を解いたり、本番に近い状況でリハーサルをしてみてください。

意外な弱点が見つかるかもしれません。

たとえば、そもそも本番を乗り切るだけの体力がないことに気づくかもしれません。その場合は、模擬試験などのリハーサルの回数を増やしましょう。もし最後まで問題が解けずパニックになることに気づいた場合は、後述のP132の方法がおすすめです。

こうした自分なりの弱点を克服していくための学習こそが、もっとも効率のいい勉強です。

学習中は、上記の3つの問いを常に忘れないでください。

奇跡は、もっとも現実を直視した人におとずれるのです。

本番までの心構え

気合があれば
何でもできる！

最後は気合だ

↓

3つの問いを投げよう

| 問1 | 課題本番の当日に自分は
どんな状態になっている必要があるか？ |

| 問2 | 本番中にもっともキツいのは
どんな場面か？ |

| 問3 | そのキツい場面を乗り越えるには
何をトレーニングすればよいか？ |

✕ ベストを尽くすとは、ひたすらがんばること

○ ベストを尽くすとは、ベストを数値化すること

「ベストを尽くせ！」

勉強の場面では必ず言われることです。とくに結果が大事な受験や国家試験ではそうです。

でも残念ながらその **「ベストの尽くし方」は誰も教えてくれません。** そのため、言われたほうは、ひたすらつらそうな顔でアピールするほかありません。

この点、興味深い実験があります。

心理学者のエドウィン・ロックとゲイリー・レイサムが材木の運送業者に対しておこなった実験です。

その会社は「作業効率の悪さ」で悩んでいました。

なんと従業員は、毎回運搬トラックに積める上限60％しか積んでいなかったのです。

とはいえ、「ちゃんとやれ！」と注意しても反発されるだけです。

そこで研究チームは具体的にこう提言しました。

「毎回、トラックには上限の94％を積むことを目指しましょう！」

9か月後、実際に彼らの積み込んでいた量は上限の94％にせまっていました。

じつに、毎回の運送ごとの生産性が34％もアップしたのです。

　人は誰でも、その人なりに精一杯がんばっています。

　だからこそ、注意のような否定的な発言は、どんなに正しくとも受け入れがたいです。

　そこで必要なのが「数値化」です。

「ベストを尽くすこと＝成果の数値をあと○％上げること」
と具体的に決めるのです。

　すると、今の自分を否定されることなく、新しい行動に向かうことができます。

　日々の勉強であれば、たとえば**「テキストの章末問題を90％以上正解にする」**や**「今日の学習の終わりまでに○ページまで読み込む」**などと決めるのがよいでしょう。

　私はこの「数値化」を自分の心の動きにも取り入れています。

　「感情を数値化する」などというと、冷たい感じがするかもしれません。でも実際は「数値化」によって、あいまいだった心の変化を明確に感じられるのです。

　この数値化を「メンタルメジャー」と言います。

　メンタルメジャーを使うと、たとえば心身の「癒し」やパートナーとの「絆」も数値化できます。

　やり方はシンプルです。たとえば、施術やワークのときに相

手に痛みや身体の軽さを問うときは「**最大の痛みを10としたら、今はどのくらいですか？**」と質問します。

　すると、相手は無意識に施術前後の差を考えて、自分の変化に注目するようになります。

「以前の痛みが10だとすれば、今は8くらいだな。そうか、もう2段階もよくなったのだ。これはすごいな！」

　こうなるとしめたものです。より数値を上げるために、その後の日常での自主トレーニングも積極的に取り組んでいただけるのです。腕のあるセラピスト、コーチ、トレーナー、ヒーラー共通のスキルです。フィジカル系の学習ではすぐに応用できるでしょう。

　ペーパー試験型の学習の場合は、たとえば「模擬試験のときの焦りや恐怖」などのメンタル面の改善にも応用できます。

「前回の模擬試験のときのパニック状態を10だとしたら、今回はどれくらいよくなっているかな？」

　この問いかけを試験の現場で自分にすることで、自然によくなった自分に意識が向き、メンタルが安定しますよ。

31

✕ 勉強の成果は、
反省すれば改善される

○ 勉強の成果は、
計測するだけで改善される

「食事制限は必要ないダイエット」と聞けば魅力的ですよね。

もちろん最終的には、食生活の見直しは必要です。

しかし**「あること」をするだけ**でただのウォーキングでも安定して体重が減ることがわかりました。これはダイエット希望者には朗報であるうえに、学習にも応用できる情報です。

2008年、ミシガン・メディカル・スクールのキャロライン・リチャードソンらは「歩数計」を使った実験をしました。

「歩数計」とは、腰につけて日中の歩行数を計測する、どこにでもあるツールです。

これをつけてウォーキングするだけで、食事制限なしに体重は減るのか？

結果は面白いものでした。

短い人で4週間、長い人で1年間の実践の結果を見ると、平均1.27kgの減量に成功していたのです。

「たった1キロ？」と思われるかもしれません。でも、参加者の多くは肥満に苦しみ普段は座ってばかりいる人でした。つまり普通にしていては、体重は増える一方の人だったのです。

研究チームは次のように述べています。

「歩数計ベースのウォーキングプログラムにしっかり取り組んでいる平均的な参加者は、**1週間あたり約0.05キロの体重減少を期待できる**」

何かを毎日計測することは、これだけパワーがあります。
　人は数値を日々目にすると、その上下が気になり、無意識に活動量が増えていくのです。
　おそらく食品の選択も変わっていたのでしょう。
　私自身も食べたものを記録する「レコーディング・ダイエット」で大幅な減量に成功したことがあります。

　学習においてもぜひ「**レコーディング・スタディ（毎日の勉強量を記録する）**」をやってみてください。
　その日に進めたテキストのページ数や、解いた問題数を、手帳に残すだけで構いません。

　ポイントは、まったく進まなかった日でも堂々と「ゼロ」と書くことです。ありのままを残すことが大切です。
　すると、「せめてゼロの日はなくそう」と奮起するはずです。

　数値と事実を計測し続けることは、確実な改善を生みます。
　もちろん、これは仕事でも同じことですね。

勉強の成果を改善するには

~の部分が
ダメたった…

成果　→　反省

成果　→　計測

その日に進めたテキストの
ページ数や問題数を記録しておく

数値と事実を計測することは、
確実な改善を生む

レコーディング・スタディ

135

32

✕ 常に、ゴールと現状のギャップを意識する

○ 勉強開始時は、現状の「うまくいった点」だけを見る

「現状と目標の差をはっきり自覚して、自らの課題を明確にしよう」

これは目標達成の模範解答であり、コーチング・プロジェクト思考の基本です。スポーツジムやダンススタジオが鏡張りなのもそのためです。

しかし、残念ながらこの模範解答が、勉強の初心者を苦しめるのです。

2008年、シカゴ大学のアイレット・フィッシュバッハらはとても面白い実験をしました。

エイズ孤児の寄付慈善団体の登録者122名が参加者した実験です。登録者は、以下の2種類に分かれます。

【Aグループ】まだ寄付をしたことのない人たち
【Bグループ】毎月平均32ドル寄付する常連

団体は、両者に対して、寄付目標が1万ドルであり、現在、目標の約半分を達成したことを知らせました。そして、さらな

る協力をお願いしました。

面白いのはここからです。
「頼み方」について、次の2つを用意しました。

・表現1:【達成分】を強調する
「ゴールは1万ドル。現在は4920ドルまで達成しています」

・表現2:【不足分】を強調する
「ゴールの1万ドルまで、あと5080ドル足りません」

上記2種類の表現で寄付を呼びかけました。
さて、あなたならどちらのほうがやる気になりますか？

結果は興味深いものでした。

Aグループの「まだ寄付したことのない人たち」については、**達成分を強調された表現1**のほうが、不足分が強調された表現2よりも**約3倍多くの人が寄付**をしました。

Bグループの「寄付の常連者」については、**不足分を強調された表現2**のほうが、達成分が強調された表現1よりも**約8倍多くの人が寄付**をしました。

A・Bグループでまったく逆の結果が出たのです。なぜ、こんな現象が起きたのでしょうか？

Aグループの立場に立ってみましょう。

　彼らにとっては、「そもそも寄付するべきかどうか」（重要性）が悩みどころです。そこで役立つのが過去の実績です。自分以外の人が目標の半分も寄付している事実が動機づけになります。

　一方、常連のBグループは、そんなことよりも自分たちが毎月がんばってきた寄付がまだ半分しか達成できていないことが問題です。そこでは、半分しか寄付されていない事実が奮起の材料になるのです。

　研究チームは、実験を経て次のような方法を提案しています。

「コミットメントが高い目標を達成する場合は、まだ達成されていない不足部分に注目する」

「コミットメントが低い目標を達成する場合は、すでに達成されている進捗部分に注目する」

　勉強で言えば、最初はコミットメントが低い状態です。何度もあきらめたくなります。

　そこで**勉強の初期段階は、とにかく「できた部分だけに」フォーカスする**ことです。

　一度解けた問題でも解き直す、復習する、自分ができたことを日記につけていくなど。

逆に、勉強が進み、達成へのコミットメントが高まってきたら、「できない部分」にフォーカスしましょう。

自分がギリギリ解けるレベルの応用問題に挑戦する、制限時間の厳しい模擬試験・模擬実習に挑む、先生や先輩から本音のフィードバックを受けるなど。

このようなメンタルトリックで、いつでもノった状態で学習ができますよ。

✕ 「未来の自分はきっと成長している」
と考える

────────────────────

○ 「未来の自分に警告してくれる協力
者」を用意する

「気がついたら1週間も経っていた！」

何かを勉強しはじめると、あっという間に時間が過ぎていきます。

「明日やろう」と先延ばしにしてサボったところ、そのまま時間が経ってしまった……。勉強を再開しようにもなかなかエネルギーが戻りません。挙句の果ては目指す試験や資格からフェードアウトしてしまう。耳が痛い人もいるかもしれません。

なぜ、こんな現象が起きるのでしょうか？

最大の理由は「**未来の自分に期待しすぎているから**」です。

この点、ドキっとする研究があります。

1998年、イギリスのリーズ大学ビジネススクールのダニエル・リードは興味深い実験結果を発表しました。

社会人200人に、1週間後におやつをプレゼントすると伝えます。おやつは次の2種類から選べます。

（A）りんごのような、健康によいもの

（B）スナックのような、不健康なもの

　ちょうど1週間後に、ダニエルは希望の通りのおやつを持ってきました。
　そこで、こんなことをささやきます。

　「1週間前の希望とは関係なく、今の気分や好みで選び直してもいいですよ」

　さて、このひと言でどれくらいの参加者の心が揺らいだでしょうか？
　なんと、**空腹状態の参加者たちの約8割が、1週間前は（A）健康的なおやつを希望したにもかかわらず、当日は（B）不健康で美味しいおやつに変更したのです。**

　1週間前の決定はどこに行ったのでしょうか？　ダニエルは次のように考察をしています。

　「人は、現在の自分には課したくない自制心の条件を、未来の自分に課してしまう」

　実際は楽に誘惑に流されてしまう人でも、頭では「きっと未来の自分は正しい選択をする」と思い込んでいるのです。

　耳が痛い話かもしれません。
　もちろん明るい未来に期待するのはいいことです。でも、そ

れは実行されて初めて意味があります。

　では、どうすればよいのでしょうか？
　解決策はただ1つ。

「他人に協力してもらう」 ことです。

　「ちゃんと勉強しているの？」「テストは大丈夫なの？」と、学生のころ親御さんや先生に突っつかれた人も多いでしょう。あまり楽しい思い出ではありませんよね。
　でも、じつはこうした他人の容赦ないアラームが私たちの弱さを助けてくれるのです。

他人に一押ししてもらおう

　2006年、コロンビア大学のジョナサン・レバフらはこんな意外な研究を発表しました。
　99名の参加者を4グループに分け、それぞれにこんな質問を投げかけます。

　質問A：「今後1週間、高い脂質のものを **食べますか？** 」
　質問B：「今後1週間、高い脂質のものを **食べないですか？** 」
　質問C：「今後1週間、高い脂質のものを **避けますか？** 」
　質問D：「今後1週間、 **オレンジジュースを飲みますか？** 」

　そして1週間後、実際に参加者に、脂質の高いクッキーをふ

るまいました。

さて、実際にクッキーに手を伸ばした割合は？

なんと次の通りでした。

質問A（食べる可能性を問う）　65％
質問B（食べない可能性を問う）　68％
質問C（避ける可能性を問う）　38％
質問D（別の物を飲む可能性を問う）　92％

とくに目を引くのは質問Cのグループです。

「避けますか？」と質問されただけで本当に避けたのです。

研究チームは次のように考察しています。

「私たちは、その行動が心のなかで想像しやすい場合は"その行動をするか"を質問されただけで、実際に行動できる可能性が高くなる」

常識的には、脂質の高いクッキーはあまり食べないほうがいいことは、みんなわかっています。そこで他人からそのことを問われただけで、後々きちんとその行動を取るのです。

さらに、その問われ方にもコツがあるようです。

質問Bと質問Cを比べてみましょう。どちらも「食べない」という行動を確認していますが、実際の行動選択には大きな差がありました。

それはなぜか。私たちの意識は「○○しない」という否定形

は通じにくいのです。**はっきりと「○○する」のかたちで問い
かける必要があるのです。**

　勉強するあなたは、ぜひ**一押しをしてくれる自分以外の協力
者を用意しましょう。**
　一定の日時・時間になったら**「今日○○をやるって言ってた
けど、ちゃんとやっていますか?」**とアラームしてくれる協力
者です。
　そうすれば慌てて「今からやるところだよ」と重い腰だって
上げることができますよね。

　学生であれば、親御さんは喜んでその役割を担ってくれるは
ずです。社会人であれば、友人やパートナーに協力を求めても
よいかもしれません。

　人間は「私」1人では弱い存在です。でもそれが2人以上の
「私たち」になると予想以上にがんばれます。
　1人で悩まずに、他人に協力を求めましょう。

サボらずに継続するには

希望的観測をする

未来の自分は
正しい選択を
するはず！

他人にアラームしてもらう

今から
やらなきゃ

自

今日○○をやるって
言ってたけど、ちゃん
とやってますか？

他

34

✕ ひたすら新しい単元に進むことを
　　最優先にする

○ 間違えた問題の解き直しを
　　最優先にする

「勉強で一番面倒くさいことは何ですか?」

　多くの方に共通する答えが「**問題の解き直し**」です。
　間違えた問題だけを選んで解き直したり、模擬試験をもう一
度時間を測って解き直したり……。そんなことよりも先に進み
たいのが心情です。

　でも、解き直しは決して時間のロスではありません。

　2016年、ハーバード大学の経営学者フランチェスカ・ジー
ノらは、とても興味深い研究を発表しました。

　256名の参加者に、賞金つき数列パズルに数回挑戦してもら
います。
　1回戦と2回戦の間に3分間のインターバルがあります。
　参加者は、インターバル間に、次の2つのうち1つの行動を
好きに選んでもらいます。

【選択肢A】1回戦の**戦略を振り返り**、2回戦に向けた改善案を

書き出してもらう

【選択肢B】同じタイプの**別のパズルで実践練習を重ねる**

　あなたならば、どちらを選びますか？

　このときは、なんと82%の参加者が実践練習である選択肢B
を選びました。

　しかし、その後の2つの試合では、**経験を振り返り、落とし
込んだ選択肢Aのグループが、実践練習にあてた選択肢Bのグ
ループよりも約20%多く正解した**のです。

　哲学者ジョン・デューイはこう言います。

　**「私たちは経験から学ぶのではない。経験を振り返ること
から学ぶのだ」**

　多くの人は先に進みたがりますが、それまでのことが身につ
いていなければ結局どこかで行き詰まります。

　月に一度、可能であれば1週間に一度、**「解き直しday」を設
けてみましょう**。

　着実にあなたの学力は向上していきますよ。

35

✕ 復習は、同じ教材を
繰り返しておこなう

○ 復習は、同じ教材を
ほんの少し内容変更しておこなう

「予習はしてこなくていいよ」

授業に自信のある先生がおっしゃることです。

しかし「復習はしなくていいよ」という先生はまずいないでしょう。

学習の基本は「繰り返し」です。どんなものにも復習は欠かせません。そして、よりよい復習方法があります。

2016年、ジョンズ・ホプキンス大学の研究チームはとても意義のある研究を発表しました。

86名の参加者に、パソコン上で運動能力を高める課題を学習してもらいます。参加者は学習方法によって次の3グループに分かれてもらいました。

【Aグループ】1回目の学習のあと、**6時間後**と**翌日**にまったく同じ課題を復習

【Bグループ】1回目の学習のあと、**6時間後**と**翌日に少し使う力の強さを調整した課題**を復習

【Cグループ】1回目の学習のあと、**翌日**にまったく同じ課題

を復習

　結果、**もっともパフォーマンスが向上したのはBグループでした。**課題のスピードや正確さが、Aグループの**約2倍**になっていたのです。最下位はCグループ。Aグループよりも25％もパフォーマンスが悪いという結果でした。

　本研究からわかるのは、適切な復習法です。
　まず、新しいスキル・知識をインプットしたいときは、可能であれば翌日まで待たずに、その日のうちに1回復習をしておくことです。
　さらに**復習の際に、最初に学んだ内容に「わずかな変更」を加えてみることで、まったく同じ内容をおさらいするよりも定着度が高い**のです。

　研究チームはこの作用を「**再固定化**」と名づけました。
　ポイントは、「わずかな変更」という点です。シチュエーションを少し変えるくらいの感覚です。
　まったく違うメニューに変えてしまうと、この再固定の効果はのぞめません。
　たとえば計算問題であれば、数値だけを変えて解き直す感じです。あるいは、目で覚えた内容を今度は声に出して読んでみるのもわずかですが大事な変更です。

　同じ時間復習してもこれだけ差が生まれる秘訣を、ぜひ試してみてくださいね。

36

✕ 練習量と成果は比例する

○ 先生からのフィードバック環境と成果は比例する

「走った距離は裏切らない」

これは、2004年のアテネオリンピック女子マラソン金メダリストの野口みずきさんの言葉です。

いくら効率のよいデジタル社会になっても、成長においては欠かせないことです。何か勉強やスポーツに打ち込んだ方ならばわかると思います。

ただし、練習はやはり「内容」も大切です。

とくに、**ある存在**は欠かせないようです。

2016年、ウィスコンシン大学マディソン校の研究チームは、マインドフルネス瞑想の練習について、興味深い研究を発表しました。

マインドフルネス瞑想の実践者は、瞑想の練習を積むほど呼吸速度が遅くなります。これには年齢や性別は関係ありません。問題は練習の「内容」でした。

まず、短期集中合宿（リトリート）の参加者は、練習時間の量に比例して呼吸速度が変化していました。練習時間を2倍に

すると1分あたり0.7呼吸分の減少が見られました。

　一方、自宅で自主練習をした参加者は、どれだけ練習時間を増やしてもこうした変化は見られませんでした。

　なぜ、こんな現象が起きるのでしょうか？　EQ（心の知能指数）の概念の考案者として有名なダニエル・ゴールマン博士らは、短期集中合宿（リトリート）の効用を次のように語ります。

　「そこには指導を請える相手、つまり瞑想コーチの存在がある」

　コーチの存在により、直接、今の状態に対して上達ポイントをフィードバックできるのです。これは、いくら自宅でコーチの映像を見ても不可能なことです。

　学習の質は、フィードバック環境の質で決まるのです。

　では、そもそも「フィードバック」とは何でしょうか？
　フィードバックとは「自分のパフォーマンスや理解について、ある媒体から提供される情報」です。媒体は教師でも、仲間でも、両親でも本でも、あるいは自分の経験でも構いません。

　ただし、いいフィードバックには1つの条件があります。

　メルボルン教育研究所のジョン・ハッティによれば**「現在の理解と目標との間の不一致を減らすことにつながっているか」**

が大切なのだそうです。

　ただ生徒をおだてたり、機械的に目標指示をすることはフィードバックとは言えないのです。

　そもそも、人はただでさえ、自分を過大評価して現在に甘んじていたいものです。
　「ある課題をできない人ほど自分を他人より優れていると思い込み、うまくこなせる人ほど自分は他人より劣っていると思っている」というダニング＝クルーガー効果と呼ばれる現象もあります。

フィードバック時に活躍する 3つの問いかけ

　さて、ジョン・ハッティは、約18万件にもおよぶ学習事例のメタ分析から、よいフィードバックに必要な3つの問いかけを体系化しました。

　質問1：私はどこに向かっているか？
　質問2：私はそこにどのように向かっているか？
　質問3：私は次にどこに行けばいいか？

　この問いかけは、課題と達成への道のりと、取るべき行動への自己評価を見直し、やる気や関わりを強めてくれます。

　独学で成果を出ている方は、自分自身にこの3つの問いかけを無意識にしていると言えます。

私自身はとくに、フィードバック環境に大いに投資をしてきました。

　体感を伴う学習の場合は海外に何度もおもむきました。またコロナ禍であってもZoomによる個人コンサルを受講しました（100万円以上しました）。

　セルフコーチングも学んでいますが、**やはり一流の先生からのフィードバックはすぐに自分の弱点がわかり、上達の速さがケタ違いでした。**

　動画環境の発達で、学習コストは大幅に下がりつつありますので、**私はその分、フィードバック環境に投資することをおすすめします。**

　大学受験や資格試験であれば、答案添削や講評をもらえる個別指導をぜひ利用してみてください。

　そして1人で学んでいるときも、常に左記の3つの質問を自分に投げかけて進捗確認をしてみましょう。

37

> ✕ 苦手分野は集団クラス、
> 得意分野は個別学習で学ぶ
>
> ――――――――――――
>
> ○ 苦手分野は個別学習、
> 得意分野は集団クラスで学ぶ

「独学」か「集団学習」か？

オンライン学習が発達した今、あらためて問われている問題です。

「YouTubeを見れば大抵のことはわかる」「いや、結局、直接臨場感をもって学ぶのが一番」など、いろいろな意見がありますよね。

私自身も、師匠と寝食をともにする「弟子入り」修行から、最新テクノロジーを駆使した特注の速読・速聴アプリまで、さまざまな「学び」のスタイルを経験しました。

まず考えるべきことは、その学ぶ分野が得意か不得意かです。

独学で上達するのならスクールに行く必要はないでしょう。

また、一般的には親は子に、苦手科目ほど大人数の大手予備校に通わせる傾向があります。

でも、本当にそれは正しい選択なのでしょうか？

1977年、文化心理学のパイオニアであるヘイゼル・ローズ・マーカスは、とてもユニークな実験をしました。

45名の協力者に、「ほかの実験の準備」として指定した服装に着替えてもらいます。

　参加者は、ここでは2種類の動作をすることになります。

【Aグループ】多くの人が**得意な**動作（テニスシューズを履き、靴紐を結ぶ）をする

【Bグループ】多くの人が**苦手な**動作（礼服用の蝶ネクタイを結ぶ）をする

　さらに、更衣室にも3種類のパターンがありました。

・パターン1：1人で着替える
・パターン2：部屋の隅で、こちらを見ている人がいる
・パターン3：反対方向を向いて何かを修理している人がいる

　結果は面白いものでした。

　人は、同じ空間に他人の目があるときは、得意な動作は速くなり、不得意な動作は逆に遅くなったのです。

　これは、パターン3の反対方向を向いて何かを修理している人がいるときでも同じでした。

　人は同じ空間に他人がいるだけである種の興奮を感じ、平静でいられなくなります。

　それが自分の能力を広げることもあれば、狭めてしまうこと

もあるのです。

　ここから2つのことがわかります。

　まず独学でうまく習得できた分野は、多人数で学ぶと、ますます磨きがかかるということです。誰かの視線があるだけで人はさらにうまくやってやろうと思うものです。

　逆に、**まったく慣れていない苦手な分野は、いきなり多人数のクラスにいくと萎縮してしまう**恐れがあります。この場合は何度も学べる映像学習か、マンツーマンの個別レッスンからはじめてみるのがいいでしょう。

　幸い、現在ではスマホで見られるスタディアプリや個別指導塾が充実し、選択肢が広がっています。この流れは大人向けの学習にももっと広がっていくでしょう。

38

✕ 「わからない」と言うのは、 不勉強の証拠

◯ 「わからない」と言えるのは、 勉強を重ねている証拠

「何か質問はありますか？」

講演や授業の最後で先生が問いかけます。

反応がなく、ちょっと気まずい空気が流れることも多いですよね。

私は先生の気持ちも生徒の気持ちもよくわかります。

人前で「ここがわかりません、教えてください」と言うのは、じつに恥ずかしいものです。

「そんなこともわからないんだ」と思われたらイヤです。とくに年齢を重ねるとそうした気持ちは強くなる一方です。

でも、ここで考えてほしいことがあります。

「わかりません」という質問は、本当に恥ずかしいことなのでしょうか？

ギリシアの哲学者ソクラテスの有名な逸話があります。

ある日のこと、ソクラテスの弟子カレイフォンは、デルフォイの神殿でこんな問いを立てました。

「ソクラテスより賢い人間はいるのか？」

ずいぶん思いきったものですよね。

返ってきた神託は「アテナイにはソクラテスより賢い人間は一人もいない」でした。

この神託をまったく信じなかったのがソクラテス自身です。彼は自分自身の無知さ加減を自覚していました。

「なぜ自分ほど無知な人間が、もっとも賢いと言えるのか」

名だたる政治家や知識人と対話をするなかで、ソクラテスはある気づきを得ます。

「彼らは知識や智慧を持っているフリをしているだけだ」

同時に、自分が持つただ1つの賢さにも気づいたのです。

「私は自分が『知らない』ということを知っている」

この姿勢は現在の賢人にも引き継がれています。

スペインの科学者フランシス・ペレスはこんな言葉を遺しています。

「科学者にとって、『わかりません』は『私に自信があります』と同義語です。自信がない人間だけが、知っているふりをする必要があるのですから」

「『わかりません』は、『私を信じて大丈夫です』という台詞とも同義語です。自分の知っていることと知らないことを、必ず区別して話します、という意味なのですから」

　もうおわかりかもしれません。

　「わかりません」と堂々と質問できることは、しっかり学習を積み重ねている証拠なのです。

　つまり「まったく勉強していないことがバレたらどうしよう」という恐れのない状態です。

　だからこそ、先生・指導者は質問を心から歓迎します。それは、真剣に自分の学びを受け取ってくれている証だからです。

　同時に、質問内容に向き合うことで、自分の教え方を見直す絶好の機会になるからです。

　ちなみに、みんなの前で質問をあえて聞くのは、その質問をきっかけに授業内容を深める意図があるからです。

　そこで質問ができる方は、もはや生徒ではなく「授業の共演者」と言えるでしょう。

　ぜひ、積極的に「わからない」という質問をしましょう。

　その勇気が持てるまで、まずは勉強を積み重ねましょう。

第4章まとめ

◎「テンション」を上げるのではなく、課題を「分析」する

◎ ベストと現状を数値化する

◎「レコーディング・スタディ」をする

◎ 勉強の初期は「できた部分」だけにフォーカス

◎ 勉強が進み、慣れてきたら「できない部分」にフォーカス

◎「ちゃんとできてる?」と言ってくれる他人を身近に置く

◎ 1週間に一度、「解き直しday」を設ける

◎ 復習の際に、最初に学んだ内容にわずかな変更を加えてみる

◎ フィードバック環境に投資する

◎ 苦手分野は個別学習、得意分野は集団クラスで学ぶ

◎「わからない」は恥ずかしいことではない

第**5**章

Improve

勉強法をさらに改善する

✕ 勉強のやる気は、
自ら奮い起こすものだ

○ 見るものを変えると、
やる気ゼロでも勉強が進む

「望月さんのお宅ではどんな教育をしていますか？」

勉強法について語るならば、避けられない質問ですよね。そこで少し恥ずかしいですが、1つのエピソードを告白します。

偏差値28。

受験生1000人中、985位くらいの成績です。誰がどう見ても最悪の成績です。じつは、長男が中学3年生8月のときの模試の結果でした。

有名高校への進学は絶望的です。

夏まで部活に打ち込んでいた彼も、さすがに奮起しました。

とはいえ、そもそも学習の習慣もあまり身についていません。相談された私は、こんな方法を提案しました。

「いつも目に入れるものを、望む未来にふさわしいものに変えてみよう」

普段、私は夢実現法である「宝地図」というものを提唱しています。理想の未来を示す写真や画像をコルクボードに貼り、常に目に入れることで、夢実現の行動力とやる気を得るという

方法です。「引き寄せ」を起こす手法として高く評価をいただいており、シンプルかつ効果的なメソッドです。

　目にするものを変えるだけで、日々の選択や行動がそのビジョンにふさわしい方向に無意識に変わっていきます。視覚情報はそれほど人間に影響を与えているのです。

　この点について、面白い逸話があります。
　今や世界に展開するヒルトンホテル。その創業者コンラッド・ヒルトンのお話です。
　彼がまだ小さなホテルのオーナーだったころ、部屋に貼ってある地図の世界中に自分のホテルの写真を貼り、そこに「ヒルトンホテル・ニューヨーク」「ヒルトンホテル・パリ」などと書き入れ、実現する日を夢見て、毎日眺めていました。
　そしてのちに、写真を貼った場所すべてに、ヒルトンホテルが建ちました。
　「何をするか」「何を思うか」の前に、「何を見るか」が大切なのです。

　さて、中学3年生の夏から長男は「宝地図」の原理をヒントに、こんな工夫をはじめました。
　「ボーっとしているだけで偏差値が上がる部屋づくり」です。
　重要な公式や単語、あるいは間違えた問題の答案などをA4サイズにして自室の壁に貼っていきます。壁のスペースがなくなれば、書初めのように天井から吊るしていました。
　こうしておけば、常に学習内容が目に入り、部屋にいるだけ

で、自然に勉強がはじまります。

効果はてきめんでした。

12月の全国模試では国語で満点を取り、**最終的には偏差値28→70、あこがれの高校に進学を果たしました**（1000人中985位だった成績は、23位になりました）。

何かを覚えたいときは、教材を生活空間まで広げましょう。

自室の壁、お手洗いや洗面所の壁、あるいはスマホやパソコンのホーム画面の背景画像に「覚えたいこと」を貼り出しセットしておくのです。すると、どんなにやる気がないときでも、目に入り、イヤでも勉強をはじめてしまいます。

マーティン・アイゼント博士は、消費者は10回、特定の広告を目にすると、その掲載商品を忘れにくくなることを発見しました。

関心ゼロだった商品だとしてもそうなのです。ましてや自分の将来に必要な学習事項であれば、なおさら記憶に残るようになるでしょう。**しかも、それがワクワクする未来にもつながっているならなおさらです。**

10回暗記し直すといえば面倒そうですが、10回自宅の壁や自分のスマホを見るのはとても簡単なことです。

ぜひ、ご自身の生活空間に「**勉強広告**」を出してみましょう。

ボーっとしているだけでも偏差値が上がる環境づくり

例1 部屋の壁に重要な単語を書いて貼る

例2 スマホのホーム画面の背景画像を「覚えたいこと」にする

例3 洗面所に行ったとき、大事な公式が目に入ってくるようにする…etc.

学習机だけでなく、
教材を生活空間まで広げよう！

Word

ふむふむ

40

✕ 落ち着いて着席できる状態が、学習力をアップさせる

◯ 動かない状態は、むしろ人の学習力をダウンさせる

「落ち着いて座って授業を受ける」

小学校で最初に習うことですよね。「よそ見」や「落書き」や「手遊び」は注意を受けますし、授業中に立ち歩くなんて論外です。でも、本当に「黙って動かない」ことで勉強がうまくいくのでしょうか？

2018年、ユストゥス・リービッヒ大学のクリスティーン・ラングハンスらは衝撃的な研究を発表しました。

16名の参加者に、姿勢の課題ということで**「横たわる」「座る」「直立する」**の3種類のポーズをしてもらいます。

そのうえで、次の3つの状態を保って、数学の暗算問題を解いてもらいます。

Aグループ：動かない状態
Bグループ：大きくは動かず、リラックスした状態
Cグループ：少しリズミカルに動いた状態

結果、**成績があきらかに悪かったのはAグループの「動かな**

い」状態の参加者でした。そのなかでもっとも悪かったのは「横たわったポーズで、動かない」参加者でした。

　もちろん現実的には、寝転がって問題を解くことはありません。でも「座りながら、動かない状態」は、社会では集中している状態として推奨されていますよね。

　さて、解答中の参加者の脳の動きをスキャンすると興味深い発見がありました。

　Aグループ（動かない状態）の参加者には「前頭前野」という脳領域に、あきらかに重い負荷がかかっていたのです。「前頭前野」は私たちの額のうしろにあり、記憶や感情の制御、行動の抑制など、高度な精神活動を司っています。いわば「脳の司令塔」です。

　そしてなんと、数学の暗算といった知的作業もこの「前頭前野」をフル活用するのです。

　つまり**「動かない」ことをがんばってしまうと、知的作業に割く脳のエネルギーが足りなくなってしまう**ということです。本末転倒ですよね。

　研究チームはこう結んでいます。

「静かに座っていることが、学校での学びに最善とは必ずしも言えない」

　私たち人間は「動物」です。文字通り「動く」ために生きています。当然、脳の認知も「動く」ことを前提に働いています。

だからこそ、一定時間以上動かずじっとしていることは、異常事態と言えるのです。

　現在、教育の最前線の現場では、「動かないで勉強すること」は見直されつつあります。
　たとえば、カリフォルニア州バレチート小学校では、全教室に立ったまま作業ができる**スタンディング・デスク**を導入しています。
　人は、立つことで脚の筋肉が発達し、血行や動脈機能が改善され、カロリーの消費量も増えます。つまり、座っているときよりも無意識に動いている状態になれるのです。
　トレシー・スミス校長によると、「**生徒たちは1日中立ちっぱなしで疲れていましたが、数か月もすると、より集中し、自信を持ち、生産的になった**」のだそうです。

長時間座ると、死亡率も上がる

　長時間座り続けることは、予想を上回るダメージを私たちに与えます。

　2018年、オックスフォード大学のアルパ・Ｖ・パテルらは、米国がん協会の21年間にわたる調査データをもとに、こんな衝撃的な報告をしています。

　「1日6時間以上座っている人たちは、3時間未満の人たちに比べると死亡率が19％高い」

ボストン・レッドソックスのトレーナーもつとめたB・J・ベーカーもこんなシビアな発言をしています。

「1日に6〜8時間座ったら、1〜2時間のワークアウト（運動）が帳消しになる」

　私たちが**脳を活性化させ、学習能力を上げるために、すぐにできることは「座る」時間を減らすことです。**
　スタンディング・デスクを試すことはその一助になります。私も実践しています。リアルのときはもちろん、オンラインでセミナーをおこなうときも、3時間から場合によっては1日中立ってスピーチをしています。

　2015年に発表されたユニテック工科大学の研究では、**職場でのスタンディング・デスクの使用により、午後からの注意力低下が減少し**、仕事の効率的なパフォーマンスにつながったとされています。

　学校は、大人になるために子どもを育てる場所です。
　だからこそ、大人が働き、学ぶ現場が変われば、子どもの学びの現場は変わっていくはずです。
　まずは大人から工夫して変わっていきましょう。

41

✕ **20分休憩があったら、スマホを見る**

〇 **20分休憩があったら、自然のなかを歩く**

2019年、ハーバード大学公衆衛生大学院の研究チームはとても興味深い調査を発表しました。

高度650キロの上空を飛ぶ人工衛星から撮られた画像を使い、アメリカの各学校の校庭の緑地の面積を調べました。

そのデータと州の小・中・高の統一学力テストの結果を照らし合わせると、衝撃的な傾向が判明したのです。

「学校の周囲の緑地が広いほど、数学と英語の成績が高い」

自然と触れ合う大切さは誰もが知っています。私たち人間の自律神経をととのえ、ストレスを減らし、騒音や大気汚染から守ってくれます。

そして本調査は、**自然との触れ合いが学習能力を高めることも教えてくれたのです。** 大人の私たちもぜひ、その恩恵に預かりましょう。

もっとも大人には校庭は身近ではありません。私たちのほうから自然があるところに向かう必要があります。

そこで**散歩（ウォーキング）**。短時間でできる、シンプルですがおすすめの方法です。

さらにここでお伝えしたいのは、あえて自然のなかを歩く意味です。

ミシガン大学のマーク・バーマン博士は、2008年にこんなユニークな研究をしました。

38人の学生に、聞いた数字の列を逆方向から繰り返す認知力テストを受けてもらいます。

その後、学生を2つのグループに分けて、それぞれ行動を指示します。

【Aグループ】55分間、**人里離れた果樹園を散歩**する
【Bグループ】55分間、**交通量の多い市街地を散歩**する

そのあとでもう一度、さきほどの認知力テストを受けてもらいます。

結果は、両者ともスコアが上がっていましたが、**より高かったのは自然を散策したAグループでした。**

健康の面から見ても同様です。ハーバード大学医学大学院の研究によると、1週間に2.5時間、つまり**1日たった21分のウォーキングで心臓病のリスクを30％減らすことができる**と言われています。

ウォーキングなどの運動は2型糖尿病やがん、高血圧や高コ

レステロールのリスクも低下させ、認知症の予防にも効果的という報告もあります。

　米国疾病対策予防センター所長トーマス・フリーデンはウォーキングを「"最高の薬"にもっとも近いもの」と表現しています。

　都会であっても、神社仏閣や大きな公園であれば自然は残っています。そして長時間歩く必要もありません。

　ぜひ勉強のためにも健康のためにも、1日20分程度から身近な自然のなかをウォーキングしてみてください。

42

✕ 勉強中は、よそ見禁止

◯ 勉強中は、「緑の自然」をよそ見する

「目が疲れたら遠くの緑を見ましょう」

　小学生のころ親や先生から言われた人もいることでしょう。その割には、よそ見は注意されたかもしれませんね。

　でも、じつはこうした窓の外の自然を「よそ見」するのには大きな学習効果があるのです。

　2015年、メルボルン大学の研究チームがおこなった実験です。

　150人の大学生に、注意力が必要な認知テストに挑戦してもらいます。その後、40秒間、窓の外の風景をながめてもらいます。

　このとき学生は、次の2グループに分けられていました。

【Aグループ】**花が咲く緑の自然**が育てられた屋根をながめる
【Bグループ】**むき出しのコンクリート**の屋根をながめる

　そのあとで再び、同じ課題に挑戦してもらいます。
　結果はAグループ（自然をながめた）ほうが、Bグループ

（コンクリートをながめた）よりもミスが少なく、高いスコアになりました。

これは、自然をながめたことで、大脳皮質下で覚醒が起き、注意を制御する力が回復したためとされています。

時間にして、たった40秒間でいいのです。ぜひ仕事や学習で疲れたら、積極的に窓から自然を見ましょう

とはいえ、環境によってはまったく外が見えないという場合もあるでしょう。その場合もご安心ください。

前述のマーク・バーマン博士のもう1つの実験によると、10分間、自然の風景の写真をながめた参加者は、同じ時間市街地の写真をながめた参加者よりも認知力が回復していることがわかりました。

すなわち**自然の「写真」でも一定の効果はある**ようです。

スマホの待ち受けやPCのデスクトップ、あるいは部屋の壁に、ぜひ1枚は自然の写真を入れておきましょう。
よそ見の時間も有効活用するのが大人の勉強法です。

勉強に疲れたら…

自然をながめる

自然

自然のなかを散歩する

風景写真を40秒ながめる

43

✕ 勉強中は、スマホを 時計代わりにする

◯ 勉強中は、スマホを 別の部屋に置く

　スマートフォン（通称スマホ）は、今や生活の必需品です。つい無意識に触ってしまう方も多いでしょう。

　他方、学習では集中を妨げもっとも気を散らす存在です。スマホアプリや電子書籍で学習している場合をのぞいては、極力遠ざけるべきです。「時計代わりに使うだけだよ」という方もいるかもしれませんが、それはちょっと危ないのです。

「そこにスマホがあるだけで、私たちの認知能力は下がってしまう」

　2017年、カリフォルニア大学のクリスティン・デュークらが発表した衝撃の実験です。

　研究チームは、2週間にわたり合計485人の学生とともに実験にのぞみました。

　まずは学生たちのスマホをサイレントモードにして、呼び出し音も振動もない状態に設定します。一見すれば、これで何も気が散る要素はなくなったように思えますよね。

　次に、参加者を3つに分けます。

【グループA】スマホを机の上で裏返しにして置く

【グループB】スマホをポケットまたはバッグに入れる

【グループC】スマホをほかの部屋に置く

そのあとで認知能力を試すテストを受けてもらいます。

結果は驚きでした。

なんと机にスマホを置いたグループAの成績は、スマホをほかの部屋に置いたグループCよりも11％も下回っていたのです。

グループAのスマホは机の上にあったものの、裏返しで通知画面は見えないのにもかかわらず、このような結果が出たのです。

つまり**スマホという存在自体が目に入ると、私たちの認知能力は奪われてしまうのです。**

集中して学びたいときは、できるだけスマホには別の部屋で休んでもらいましょう。

もし難しい場合は、バッグや戸棚に入れましょう（グループBは、グループAより成績が上でした）。

ストップウォッチや時計は面倒でも別に用意しましょう。

これだけであなたの頭の働きは違ってきますよ。

44

✗ どんな場所でも 勉強できるようにする

○ 勉強する「ホームグラウンド」を 徹底的につくる

「いつでもどこでも勉強できるようになろう」

受験の追い込みのときに言われた方も多いでしょう。たしかに移動時間やスキマ時間は大いに有効活用するべきです。

しかし、長時間学習に集中したい場合は、やはり特定の空間も必要です。すなわち自分自身の学習におけるホームグラウンドを持つのです。

ホームグラウンドとは、自分にとって馴染み深い場所です。

ケニオン大学の心理学准教授ベンジャミン・ミーガーによれば、**ホームグラウンドは私たちの思考を手助けしてくれる**と言います。初めての場所とは異なり、環境をととのえる労力がいらないため、頭が効率的に働き生産性が自然に上がるのです。

では、具体的に私たちはどのような空間をホームグラウンドと感じるのでしょうか？

自宅以外にも喫茶店、図書館、有料自習室、職場の空き部屋などの選択肢もありますよね。

この点、2010年、クイーンズランド大学のクレイグ・ナイ

トらはユニークな実験をおこないました。

112名の参加者に、カードを素早く分類する認知力テストを受けてもらいます。参加者は3グループに分かれて、次の空間で別々に受けます。

【Aグループ】無駄がなく「断捨離」されたオフィス
【Bグループ】観葉植物やアートが飾られた充実した個室
【Cグループ】自分で好きに壁写真などをレイアウトしてよい個室

結果、**ダントツで素早く課題をこなし、かつ間違いが少なかったのはCグループ（自分で好きにレイアウト）でした。**

また、試験後のアンケートでも、Cグループはもっとも心理的な気持ちよさを感じていたと回答しました。
本実験からは、**あなたのホームグラウンドにするべき勉強空間は、やはりレイアウトし放題の「自宅の自室」一択であると言えますね。**

では、どのようにレイアウトをすればいいでしょうか？
もちろん個人の自由による部分が多いですが、ここでは、どなたでも有効なアイデアをシェアします。

それは**あなたが学習中すぐに目に入る場所に、「過去に達成した誇らしい実績をあらわすもの」を飾っておくこと**です。

学習に関しては「合格A判定の模擬試験の通知表」や「過去に取得した資格の認定証」、すでに全部マスターした問題集などがあるでしょう。

あるいは、全問正解した小テストの答案や、章末問題のページのコピーを飾るだけでも構いません。

よく、目指す志望校の写真などを飾る方も多いですが、ここでは「**過去に実際にあなたが成しとげた**」ものが対象です。

なぜ、このようなレイアウトがおすすめなのでしょうか？

2008年、行動経済学者ダン・アリエリーらはこんな研究をしました。

大学生を集めて、説明書の通りに40ピースのレゴブロックを組み立ててもらいます。

一体完成させるたびに報酬がもらえます。

ただし、完成させるたびにその報酬は11セントずつ減っていきます。つまり「お金目当て」では、徐々につらくなっていくのです。

そのうえで、研究チームはもう1つ仕掛けを準備しました。

じつは、大学生たちは意図的に2つのグループに分けられていたのです。

【A】「やりがい」グループ

一体完成するごとに、完成させた作品を机にならべるように

指示されます。組み立てた分だけ目の前にならぶ完成品が増えていきます。

【B】「骨折り損」グループ

完成品はスタッフに回収されて、目の前でバラバラにされます。

結果として、【A】の「やりがい」グループは、【B】の「骨折り損」グループよりも33％も多く作品を完成させていました。

前述の通り、がんばっても報酬が増えるわけではありません。Aグループのがんばりの源は「過去に自分が達成した作品」が**いつも目に入っていたこと**だったのです。

この結果があなたの勉強にも起きたらどうでしょう？　ぜひ、過去の自分の力を借りて、学習の生産性を上げていきましょう。

✕	**イメトレでは、「合格した喜びのなかの自分」を想像する**
○	**イメトレでは、「困難を乗り越えている自分」を想像する**

「いまいち『やる気』がわかない」という瞬間はありますよね。とくに勉強においてはそうです。

そこでよくすすめられるのが「**イメージ・トレーニング**」（**通称イメトレ**）です。

輝かしい合格の瞬間や、課題を成功させて周囲から祝福される瞬間をありありと鮮明に想像し、まるで現実で起きているかのようにひたりこむ。すると、そのゴールに向かう爆発的な行動力がわいてくるというものです。

これを「リフレクション」と言います。

夢実現法を長くお伝えしてきた私からしても、この方法は夢実現の基本だと思います。

でも一方で、**通常のイメトレではやる気がわかない**という方もいます。じつはそれは十分ありうることなのです。

本節では、その原因と対策をお伝えします。

2011年、心理学者ガブリエル・エッティンゲンらは衝撃的な研究を発表しました。

40名の学生を次の2グループに分け、来週1週間のできごとを自由に空想してもらいます。

【Aグループ】**超ポジティブな空想**（試験がうまくいき、恋人とも絶好調……etc.）をしてもらいます
【Bグループ】**平凡な空想**（晴れたらいいな……etc.）をしてもらいます

　Aグループの人は、いかにも前向きなエネルギーでがんばれそうですよね。しかし実際に1週間を過ごしたあとのアンケートでは、真逆の結果が出ました。
　なんと超ポジティブだったはずのAグループの参加者は、週のはじまりから元気がありませんでした。
　参加者の44％が自分のイメージに否定的になって、イジけていたのです。他方、平凡な空想をしたBグループの参加者の95％は「いい1週間だった」と回答していました。

　なぜ、こんな逆転現象が起きたのでしょうか？
　その答えは、じつは「やる気」という言葉にあります。

「やる気」とは「何かをやるための心のエネルギー」です。つまり「何か立ち向かう壁」がなければ、わきようがないのです。

　しかし、なんでもスイスイうまくいく空想では、当然乗り越えるべき困難の「壁」は浮かびようがありません。
　だから、いくらイメトレに没頭しても、何も心が動かないの

です。

　正しいイメトレには「困難の壁」の想像が不可欠です。
　この点、興味深い研究があります。
　2009年、運動学教授クレイグ・ホールは、345名のアスリートのイメトレを調査しました。

　スポーツの分野ではイメトレの研究はとてもすすんでおり、次の5型が提唱されています。

（1）特定のスキルをこなす瞬間をイメージする
（2）競技中の戦略をイメージする
（3）具体的な目標達成の瞬間をイメージする
（4）リラックスや覚醒など感情を体感的にイメージする
（5）困難な状況を効果的に対処し、習得している自分をイメージする

　いずれも有益そうですよね。
　しかし、クレイグの調査によれば、**このうち実際に練習中・本番中を問わずアスリートに自信を与えたイメトレは「困難を乗り越える」（5）型**でした。

　まずは、**あなたが学習をしていくなかで、困難と思える場面をできるだけ書き出してください。**
　具体的なテキストのページでも構いませんし、精神的なことでも構いません。それがあなただけの「困難の壁」であり、イ

184

メトレの材料になります。

　次にそれを乗り越えられたとしたら、その理由を未来から逆算する感じでイメージしてみましょう。

　それは「先生」や「仲間」の存在かもしれません。新しい「方法」を試したことかもしれません。あるいは「環境」を激変させたことかもしれません。

　もちろん答えはありません。でもこのプロセスのなかで、胸の奥からふつふつとやる気がわいてくることでしょう。

困難の壁を超えたイメージをしよう！

46

✕ 勉強からの現実逃避は 一刻も早くやめる

○ 徹底的に逃避することで、 勉強の意味が見つかる

「学習に身が入らない」「勉強する意味がわからず、つい現実 逃避の趣味にハマってしまう」……多くの学生の方が持つ悩み です。周囲の大人からすれば心配でたまらないでしょう。

じつは私自身も高校生のころ、学ぶ意味がわからずに苦しん だことがあります。

そのなかで、勉強以外のある趣味に出会い、そこからあらた めて勉強する意味を発見できました。

中学時代の私は卓球の部活動にハマっていました。朝から晩 まで、授業中ですら卓球のことばかりを考えていました。

父親からもらった『成功への4つの公式』（ジム・ジョーンズ ダイヤモンド社　※絶版）という本の影響で、将来卓球のチャ ンピオンになるという夢をありありと思い描いていました。

休日返上のトレーニングは当たり前、ときには高校生や社会 人と練習するために20キロ離れた練習場まで自転車で往復し たこともあります。

その結果、10年間地区予選で敗退していた母校の卓球チー

ムは、県大会に初出場し、準優勝まで勝ち上がることができました。

さらに、私自身も推薦で、東京にある東日本最強の卓球部を持つ高校に進学することができました。

しかし、うまくいったのはここまででした。

さすが強豪校、自分とはまったくレベルがかけ離れた選手ばかりなのです。地元の期待を背負いがんばるも、まったく刃が立ちません。

そのうち、怪我もあり練習についていけなくなった私は、高校1年生の夏以降は卓球部から足が遠のきました。

「自分は何のために東京まで出てきたんだろう」

目的を失った私は、学業にもまったく身が入らなくなりました。何をするにも言い訳ばかり。一時は、退学して地元山梨の高校に再入学することも考えていました。

そんな折、私に2つの出逢いがありました。

1つは「本」。そして2つめは「本を読み合う仲間」です。

元から大河ドラマや歴史物が好きだった私は、国民的作家司馬 遼 太郎先生の著書に出会います。

とくに感銘を受けたのは『世に棲む日日』（文春文庫）という本でした。前半の主人公は吉田松陰。後に伊藤博文・山形有朋などの明治維新の立役者を輩出した松下村塾をつくった教育

者です。

　才気あふれる松陰は、世界を見るために脱藩し、来航したペリーの船の乗組員に頼みアメリカへの密出国を企図しました。
　しかし計画は失敗、松陰は幕府に自首をし、長州藩の野山獄に入ります。野山獄には松陰を含め12人の囚人がいました。いずれも曲者ぞろいで、絶望と陰惨な空気が漂っていました。

　最年少25歳の松陰は、最初は無視されていたものの、その人柄と知性にいつしか囚人たちは強く惹きつけられていきます。
　松陰が提案したのは、囚人たちとお互いに得意なことを教え合う「勉強会」の開催でした。

　囚人はユニークな才能を持った者ばかりでした。在獄7年の俳句の師匠は牢番まで巻き込んだ俳句の会を開きました。また在獄4年の儒学者富永有隣には書道の会を開いてもらいました。松陰自身は「孟子」の講義をおこないました。聴講した囚人も牢番もみな、姿勢を正して聞き入ったそうです。

　このエピソードを読んだとき、私は衝撃を受けました。

　牢獄ですら「学びの場」になるのです。どこでも誰からでも学ぶことはできるのです。

　そう思うと、言い訳ばかりしている自分がとても恥ずかしくなりました。

その後、面白いことに私自身が「松陰体験」をすることになります。もちろん牢獄に入ったわけではありません。

経営者だった父親の紹介で、青年が集まる読書会に参加することになったのです。

お互いが本を持ち寄り、その内容を語り、そして自分の人生に照らし合わせた見解を述べる。参加者は指導役の大人のほかはみんな、ほぼ同世代でした。

思いっきり逃避してから、やりたいことを見つめよう

高校2年生の1年間は月イチで参加しました。

そのうちに**私が読書会をリードすることになりました。**本の選定も私がします。

大好きな司馬遼太郎をはじめ、三島由紀夫、小林秀雄、天才数学者の岡潔などの名著を扱った思い出があります。

そこで、私は志を持った一緒に学ぶ友だちを得ることができました。参加者はみな同世代ながら、それぞれが大きな志を持っていました。

真摯に本を読み、自分を顧みて、堂々と夢を語っていました。

そんな仲間と切磋琢磨するうちに、卓球で挫折し、無気力になっていた自分の心に情熱が戻ってきました。

自分の夢はなんだろう。

当時の私が思ったのは「日本の素晴らしさをもっともっと世界に伝える」ことでした。

　もちろん、高校生の自分にはそんな力はありません。
　では、そんな力を手に入れるにはどうすればいいか？
　当時の自分にできることは「勉強すること」だけでした。
　せっかく大学入試というシステムがあるのです。精一杯がんばって、より可能性を発揮できる大学を目指そう。
　その瞬間、将来の「やりたいこと」と目の前の「やらなければいけないこと」がつながり出したのです。
　そのときから、学校の勉強や受験勉強にも取り組むようになりました。

　あなたがもし、勉強に身が入らず、趣味やほかの関心事があれば、いっそのこと大いに逃避する時期があってもよいのではないでしょうか。
　その趣味や関心がなんであれ、心の穴を埋めるだけのエネルギーをあなたに与えてくれているのですから。

　そして、どんな趣味でも心底ハマれば、必ず切磋琢磨する仲間ができます。
　そのなかで「趣味を通して本当に求めているもの」を考えてみる瞬間が出てきます。そのときが自分の本当の「やりたいこと」が見つかるチャンスです。

　それが見えたら、今度は目の前の「やらなければいけないこ

と」を見つめてみてください。それは仕事かもしれないし、勉強かもしれません。

　そのとき、自分の「やらなければいけないこと」（仕事や勉強）と、将来の本当に「やりたいこと」は、果たしてつながっているのか?

　本音で考えてみてください。
　もしその答えが「YES」であれば、その時点から本腰を入れて勉強をすることができるようになるでしょう。
　そして、目覚ましい成果を手に入れる可能性が、高まるはずです。

第5章まとめ

◎ ボーっとしているだけで偏差値が上がる部屋をつくる

◎ スタンディング・デスクを使う

◎ 1日20分、近所の自然のなかをウォーキングする

◎ 40秒間、自然をながめる

◎ 勉強中は、スマホを視界に入らないところに置く

◎ 過去の自分を誇れる写真を部屋に貼っておく

◎ 困難を乗り越えた自分を想像する

本気で勉強した人が手に入れる 本当の財産

次の3つのなかで、もっとも簡単なものはどれでしょう。

（A）戦争をはじめる宣言
（B）開戦を止める説得
（C）はじめた戦争を終わらせるための交渉

答えは（**A**）です。

昨今の世界情勢のように戦争は唐突にはじまります。しかし当初の楽観視とは裏腹に泥沼化するのが戦争です。

それを食い止め、あるいは終わらせる（B）や（C）の役割には想像を絶する困難が伴います。

でも、必ずその役割を担う人物は歴史の影にいました。それは日本も同じです。

日露戦争でポーツマス講和条約を締結した全権代表の**小村寿太郎**、アメリカの口添えの根回しをした**金子堅太郎**、あるいは、日米開戦に最後まで反対論を唱えた**松方乙彦**、**山本五十六**など。

さて、興味深いのはここからです。

じつは今挙げた4氏には、共通点があります。

それは全員が、「**ハーバード大学」に留学していた**という事実です。

1900年代前半、4000人のハーバード大学生のなかで、日本人はわずか10人。そのなかで孤軍奮闘しながら学び築いたネットワークがベースにあったのです。

そこで鍛えたのは「知力」と、そして「**胆力**」でした。

とくに後者は大切です。胆力とは、ものごとに対して臆したり、動じたりしない精神力です。
自分を超えて、他人のために何かを成しとげるときに必要になります。**これこそが、本気の勉強で手に入る最高の財産なのです。**

本気で学ぶと、人はそれを必ず誰かの笑顔のために活用したくなります。それは胆力が備わったからです。
私たちが住む世界は、こうした胆力ある先人たちが築いてきたものです。

たしかに、世界では今日も問題は絶えません。
そこで私たち1人ひとりができることは、それを憂うことでなく、問題に立ち向かう胆力を養うことです。

そのための偉大な1歩が、あなた自身の心揺さぶられる分野で、学びはじめることです。

それは必ず他人のためになり、世界の問題解決になります。そして私たちがこの世を去ったあとも、よりよい世界を後世に遺すことができるのです。

本書はその1歩のためのヒントを、力の限り書きました。

ぜひ、いつの日か同じ志を持つ者として、あなたに実際に会える日を楽しみにしております。

最後になりましたが、本書の出版までに本当に多くの方々にお世話になりました。

とくに企画から編集に至るまで最高のサポートをいただきました小寺裕樹編集長をはじめとした、すばる舎のみなさま、企画案から文献の調査や原稿の完成まで共に進めてくれたヴォルテックス企画開発部の岡孝史さん、山野佐知子さんには感謝でいっぱいです。

そして、私と一緒に多くの人の可能性を広げていくことにエネルギーを注ぎ続けてくれている望月俊亮、神戸正博さんを筆頭とするヴォルテックスのスタッフに心より感謝申し上げます。

望月俊孝

参考文献

【第1章】

・Richard T. Kinnier and Arlene T. Metha(1989) Regrets and Priorities at Three Stages of Life.Counseling and Values 33(3):182-193

・『ULTRALEARNING 超・自習法 どんなスキルでも最速で習得できる9つのメソッド』P.24 〜 28（著）スコット・H・ヤング、（訳）小林啓倫／ダイヤモンド社

・Chaim Fershtman and Uri Gneezy(2011)The Tradeoff between Performance and Quitting in High Power Tournaments.April 2011Journal of the European Economic Association 9(2):318 − 336

【第2章】

・『脳はこうして学ぶ　学習の神経科学と教育の未来』P.262 〜 267 (著)スタニスラス・ドゥアンヌ、（訳）松浦俊輔／森北出版

・Amy M. Smith, Victoria A. Floerke, Ayanna K. Thomas（2016）Retrieval Practice Protects Memory Against Acute Stress. Science. 2016 Nov 25;354(6315):1046-1048

・Erik A Wing , Elizabeth J Marsh and Roberto Cabeza(2013) Neural correlates of retrieval-based memory enhancement: an fMRI study of the testing effect　Neuropsychologia. 2013 Oct;51(12):2360-70

・『サイコロジー・オブ・マネー　一生お金に困らない「富」のマインドセット』P.120 〜 121 (著) モーガン・ハウセル、（訳）児島修／ダイヤモンド社

・Learning rewires the brain　https://www.snexplores.org/article/

learning-rewires-brain

・Backwards signals appear to sensitize brain cells, rat study showsNIH study indicates reverse impulses clear useless information, prime brain for learning.

・Navin Kaushal and Ryan E Rhodes(2015)Exercise habit formation in new gym members: a longitudinal study.J Behav Med. 2015 Aug;38(4):652-63

・Bandura, A., & Schunk, D. H. (1981). Cultivating competence, self-efficacy, and intrinsic interest through proximal self-motivation. Journal of Personality and Social Psychology, 41(3), 586–598

・https://theconversation.com/let-it-happen-or-make-it-happen-theres-more-than-one-way-to-get-in-the-zone-149173

・https://www.nytimes.com/2013/05/05/opinion/sunday/a-focus-on-distraction.html

・https://www.fastcompany.com/3063173/six-brain-hacks-to-learn-anything-faster

・Ronak Patel,R Nathan Spreng and Gary R Turner(2013) Functional Brain Changes Following Cognitive and Motor Skills Training: A Quantitative Meta-analysis.Neurorehabil Neural Repair. 2013 Mar-Apr;27(3):187-99.

・Lindsey Engle Richland, Nate Kornell and Liche Sean Kao(2009) The Pretesting Effect: Do Unsuccessful Retrieval Attempts Enhance Learning? Journal of Experimental Psychology Applied 15(3):243-5

・Rachel Ruttan and Mary-Hunter Mcdonnell(2015) Having "Been There" Doesn't Mean I Care: When Prior Experience Reduces Compassion for Emotional Distress.April 2015Journal of Personality and Social Psychology 108(4):610-622

・https://www.technologyreview.com/2016/07/06/158961/data-mining-reveals-the-six-basic-emotional-arcs-of-storytelling/

・『開成・東大卒が教える　大学受験「情報戦」を制して合格する勉強法』P.202　（著）小林尚／KADOKAWA

【第3章】

・Karpicke JD and Blunt JR (2011). Retrieval practice produces more learning than elaborative studying with concept mapping. Science 331, 772-775.

・「レミニセンスと学習効果― 小学生用英語学習プログラムの結果からの考察―」安藤　則夫、長谷川修治、植草学園大学研究紀要　第７巻　25 ～ 35頁（2015）

・『脳が認める勉強法　「学習の科学」が明かす驚きの真実！』P.51 ～ 56　（著）ベネディクト・キャリー、（訳）花塚恵／ダイヤモンド社

・Fernandes, Myra A. Wammes, Jeffrey D. Meade, Melissa E(2018)The surprisingly powerful influence of drawing on memory. Current Directions in Psychological Science, 27(5), 302– 308

・Noah D Forrin, Colin M. Macleod(2018)This time it's personal: the memory benefit of hearing oneself., Memory, 26:4, 574-579

・Diana J. Arya and Andrew Maul(2012)The Role of the Scientific Discovery Narrative in Middle School ScienceEducation: An Experimental Study.Journal of Educational Psychology Vol. 104, No. 4, 1022–103

・『脳の外で考える　最新科学で分かった思考力を研ぎ澄ます技法』P.422　（著）アニー・マーフィー・ポール、（訳）松丸さとみ／ダイヤモンド社

・L. Jones, C. Allely and J. Wearden(2011)Click trains and the rate of information processing: Does "speeding up" subjective time make other psychological processes run faster?Q J Exp Psychol (Hove).2011 Feb;64(2):363-80

・Stéphanie Mazza, Emilie Gerbier, Marie-Paule Gustin,Zumrut Kasikci, Olivier Koenig, Thomas C. Toppino, and   Michel Magnin (2016) Relearn Faster and Retain Longer: AlongWith Practice, Sleep Makes Perfect.Psychol Sci. 2016 Oct;27(10):1321-1330.

・Classics in the History of Psychology -- Miller (1956)

・Rosenbloom, P. S., Laird, J. E., & Newell, A. (Eds.). (1993). The Soar papers: Research on integrated intelligence, Vols. 1 & 2. The MIT Press

・Gary Jones (2012) Why chunking should be considered as an explanation for developmental change before short-term memory capacity and processing speed   Psychol., 15 June 2012   Sec. Cognitive Science

・Fang Xu (2016) Short-term Working Memory and Chunking in SLA   Theory and Practice in Language Studies, Vol. 6, No. 1, pp. 119-126, January 2016

・What Is Chunking & How To Use This Powerful Memory Strategy.Chunking helps overcome natural limitations of memory. We explain the underlying science, and show how chunking = better grades by helping you learn more effectively

・Nate Kornell and Robert A. Bjork(2008)Learning Concepts and Categories: Is Spacing the "Enemy of Induction"?July 2008 Psychological Science 19(6):585-92

・Ayanna K. Thomas and Stacey and J. Dubois (2011) Reducing the Burden of Stereotype Threat   Eliminates Age Differences in MemoryDistortion.Psychological Science published online 26 October 2011

・Roberto Cabeza, Nicole D Anderson, Jill K. Locantore and Anthony R McIntosh(2003) Aging Gracefully: Compensatory Brain Activity. NeuroImage 17, 1394–1402 (2002)

・Stavros I Dimitriadis,Ioannis Tarnanas, Mark Wiederhold, Brenda Wiederhold, Magda Tsolaki and Elgar Fleisch(2016) Mnemonic strategy training of the elderly at risk for dementia enhances integration of information processing via cross-frequencycoupling.
Alzheimers Dement (N Y). 2016 Sep 15;2(4):241-249

・Elaborative Rehearsal: A Better Way to Memorize Need to memorize information? Using the elaborative rehearsal method can increase your success in learning and remembering facts.

・Mueller, P. A and Oppenheimer, D. M. (2014). The pen is mightier than the keyboard: Advantages of longhand over laptop note taking. Psychological Science, 25(6), 1159–1168.

・Carole L Yue,Benjamin C Storm,Nate Kornelland Elizabeth Bjotk(2015)Highlighting and Its Relation to Distributed Study and Students' Metacognitive Beliefs.March 2015 Educational Psychology Review 27(1)

・https://choosemarker.com/wht-color-highlighter-use-for-studying/

・Peter M. Gollwitzer & Veronika Brandstätter (1997) Implementation Intentions and Effective Goal Pursuit.July 1997Journal of Personality and Social Psychology 73(1)

・http://www.kikuchi-law.jp/app-def/S-102/?p=369

・Jennifer J Summerfield, Demis Hassabis, Eleanor A

Maguire(2010) Differential engagement of brain regions within a 'core' network during scene construction.　Neuropsychologia 48(5):1501-9

・Shu, S. B., & Carlson, K. A. (2014). When three charms but four alarms: Identifying the optimal number of claims in persuasion settings. Journal of Marketing, 78(1), 127–139

・Just, M., Masson, M., Carpenter, P. (1980). The differences between speed reading and skimming. Bulletin of the Psychonomic Society, 16, 171.
※Keith Rayner , Elizabeth R. Schotter, Michael E. J. Masson , Mary C. Potter, and Rebecca Treiman（2016）So Much to Read, So Little Time: How Do We Read, and Can Speed Reading Help?　Psychological Science in the Public Interest (Volume 17, Number 1)

【第4章】
・『ハードワーク 勝つためのマインド・セッティング』P84 ～ 87＆104 ～ 106　（著）エディ・ジョーンズ／講談社

・『やってのける 意志力を使わずに自分を動かす』P.32 ～ 34　（著）ハイディ・グラント・ハルバーソン、（訳）児島修／大和書房

・Caroline R Richardson,Tiffany L Newton,Jobby J Abraham and Ananda Sen(2008)
A Meta-Analysis of Pedometer-Based Walking Interventions and Weight Loss..January 2008The Annals of Family Medicine 6(1):69-77

・Minjung Koo　and Ayelet Fishbach(2008)Dynamics of Self-Regulation: How (Un)accomplished Goal Actions Affect Motivation.March 2008Journal of Personality and Social Psychology 94(2):183-95

・D Read and van Leeuwen B(1998) Predicting Hunger: The Effects of Appetite and Delay on Choice.Organ Behav Hum Decis Process.1998 Nov;76(2):189-205

・Jonathan Levav and G. Fitzsimons(2006) When questions change behavior: the role of ease of representation.Psychol Sci. 2006 Mar;17(3):207-13.

・Giada Di Stefano,Francesca Gino,Gary P. Pisano and Bradley R. Staats(2016) Making Experience Count: The Role of Reflection in Individual Learning.Harvard Business School NOM Unit Working Paper No. 14-093 Posted: 26 Mar 2014

・https://www.hopkinsmedicine.org/news/media/releases/want_ to_learn_a_new_skill_faster_change_up_your_practice_sessions

・Joseph Wielgosz, Brianna S. Schuyler,Antoine Lutz and Richard J. Davidson(2016)Long-term mindfulness training is associated with reliable differences in resting respiration rate.June 2016Scientific Reports 6(1):27533

・『心と体をゆたかにするマインドエクササイズの証明』 P.350 ～ 351 (著)ダニエル・ゴールマン&リチャード・J・デビッドソン、(訳)藤田美菜子／パンローリング株式会社

・Alana Muller,Lindsey A. Sirianni and Richard J Addante(2019) Neurophysiological Correlates of the Dunning-Kruger Effect Reveal Contributions of Episodic Memory to Metacognitive Judgments of Illusory Superiority.European Journal of Neuroscience

・John Hattie and Helen Timperley（2007）The Power of Feedback. Review of Educational Research March 2007, Vol. 77, No. 1, pp. 81-112

・『不確実な世界を生き抜くための思考変革 「無知」の技法 Not Knowing』 P.187 ～ 192 （著）スティーブン・デスーザ&ダイアナ・レ

ナー、（訳）上原裕美子／日本実業出版

【第5章】
・Brian Wansink and Collin R Payne(2008)Eating behavior and obesity at Chinese buffets.Obesity (Silver Spring). 2008 Aug;16(8):1957-60

・『「欲しい!」はこうしてつくられる　脳科学者とマーケターが教える「買い物」の心理 』P.239　(著)マット・ジョンソン、(著)プリンス・ギューマン、（訳）花塚恵／白揚社

・Christine Langhanns and Hermann Müller(2018)Effects of trying 'not to move' instruction on cortical load and concurrent cognitive performance.Psychol Res. 2018 Jan;82(1):167-176

・California school becomes first to lose chairs for standing desksSchool principal says raising the desks also raised students' focus, confidence and productivity

・Alpa V Patel, Maret L Maliniak, Erika Rees-Punia, Charles E Matthews, Susan M Gapstur（2018）Prolonged Leisure Time Spent Sitting in Relation to Cause-Specific Mortality in a Large US Cohor.American Journal of Epidemiology, Volume 187, Issue 10, October 2018, Pages 2151–2158

・『シリコンバレー式超ライフハック』P.232　(著）デイブ・アスプリ、（訳）栗原百代　／ダイヤモンド社

・Haddadi, S. H. (2016). To what extent does working from a standing desk affect cognitive attentional performance? An unpublished 90-credit thesis submitted in fulfilment of the requirements for the degree of Masters of Osteopathy, Unitec Institute of Technology, New Zealand.

・Wing Tuen Veronica Leung,Tuen Yee Tiffany Tam,Wen-Chi Pan and Chih-Da Wu(2019)How is environmental greenness related to students' academic performance in English and Mathematics?

・Marc G Berman,John Jonides and Stephen Kaplan(2008)The cognitive benefits of interacting with nature.Psychol Sci. 2008 Dec;19(12):1207-12

・Walking for Health(ハーバード大学医学大学院 2017年10月24日)

・Kate E. Lee , Kathryn J.H. Williams, Leisa D. Sargent, Nicholas S.G. Williams a,Katherine A. Johnson d（2015）40-second green roof views sustain attention: The role of micro-breaks in attention restoration.Journal of Environmental PsychologyVolume 42, June 2015, Pages 182-189

・『Peak Performance 最強の成長術』P.150 〜 152 （著）ブラッド・スタルバーグ＆スティーブ・マグネス、（訳）福井久美子／ダイヤモンド社

・Adrian F. Ward, Kristen Duke, Ayelet Gneezy, and Maarten W. Bos（2017）Brain Drain: The Mere Presence of One's Own Smartphone Reduces Available Cognitive Capacity.JACR, volume 2, number 2. Published online April 3, 2017

【あとがき】
・『ハーバード日本史教室』P.19 〜 25 （著）佐藤智惠／中央公論新社

科学が教えてくれる
学習の10個の事実

① 人は死ぬ間際に「もっと勉強すればよかった」と後悔する→P.26

② 勉強は「完璧」を目指すな、「完成」を目指せ！→P.29

③ 学習とは、1つでも多く「間違い」に気づくこと→P.42

④ 試験を突破する人は、「一夜漬け」の真逆である→P.49

⑤ 試験で使える記憶術は、たった2行で説明できる→P.74

⑥ 年を重ねても、脳はずっとアップデートできる→P.104

⑦ 究極の読書法は、「9割捨てる」こと→P.120

⑧ 苦手分野は個別学習、得意分野は集団クラスで学ぶ→P.154

⑨ 見るものを変えると、やる気ゼロでも勉強が進む→P.162

⑩ 徹底的に勉強から逃げると、勉強の意味が見つかる→P.186

著者プロフィール

望月俊孝 （もちづき・としたか）

昭和32年山梨県生まれ。上智大学卒。30年間の「勉強法」研究から、成果に直結する学び方を体系化した「何歳からでも結果が出る本当の勉強法」提唱者。ヴォルテックス代表。1冊15分で読めてリターンを最大化させる「4C読書法」、夢実現を加速するツール「宝地図」、世界に広がる癒し「レイキ」、セルフ・イメージを90分で書き換える「エネルギー・マスター」提唱者。国際レイキ普及協会主宰。主な著書に『心のお金持ちになる教科書』（ポプラ社）、『今すぐ夢がみつかり、叶う「宝地図」完全版』（主婦と生活社）、『魔法の読書法』（イースト・プレス）、『究極の氣 レイキ』（河出書房新社）、『引き寄せの法則　見るだけノート』（宝島社）など40冊、著書累計95万部発行。7ヶ国語に翻訳出版。36歳のとき、借金6000万円を抱えリストラされるも、1年でV字回復。これまで学びに億単位の投資をしてきて、65歳を超えた今でも、新しい知識の吸収と自己成長が生きがい。

何歳からでも結果が出る
本当の勉強法
世界中の研究から導き出した学びの結論46

2023年3月19日　第1刷発行
2023年7月6日　第7刷発行

著　者　　　望月俊孝

発行者　　　徳留慶太郎
発行所　　　株式会社すばる舎
　　　　　　〒170-0013　東京都豊島区東池袋3-9-7 東池袋織本ビル
　　　　　　TEL　03-3981-8651（代表）　03-3981-0767（営業部）
　　　　　　FAX　03-3985-4947
URL　　　　 https://www.subarusya.jp/

企画協力　　岡孝史／山野佐知子（ヴォルテックス企画開発部）
ブックデザイン 池上幸一
印刷・製本　　モリモト印刷

ありきたりな日常が
感動のドラマに変わる。

「ありがとう」の教科書
良いことばかりが降りそそぐ感謝の技術30

武田双雲[著]

◎ポケット愛蔵版　◎定価:本体1300円(+税)

自他ともに認める「感謝の達人」武田双雲氏に、感謝を習慣にして人生の幸福度を上げるための30のことを語りつくしてもらいました。シンプルで究極の1冊が誕生!

http://www.subarusya.jp/